D0586361

GE~KiK~NAPT

AFGEVOERD

GEMEENTELIJKE BIBLIOTHEEK

0g 56587

A - SAGE

Andere boeken van
ANGiE SAGE

ARAMINTA SPOOKIE 1:
MIJN SPOOKHUIS

ARAMINTA SPOOKIE 2:
HET ZWAARD IN DE GROT

~3~

ARAMiNTA SPOOKiE

GE~KiK~NAPT

zoals verteld aan
ANGiE SAGE

geïllustreerd door
JiMMY PiCKERiNG

GOTTMER · HAARLEM

© 2007 Angie Sage (tekst)

© 2007 Jimmy Pickering (illustraties)

Oorspronkelijke titel: *Araminta Spookie: Frognapped*

Oorspronkelijke uitgever: Katherine Tegen Books, an imprint of HarperCollins
Publishers

Voor het Nederlandse taalgebied:

© 2008 Uitgeverij J.H. Gottmer / H.J.W. Becht BV, Postbus 317, 2000 AH
Haarlem (e-mail: post@gottmer.nl)

Uitgeverij J.H. Gottmer / H.J.W. Becht BV maakt deel uit van de Gottmer
Uitgevers Groep BV

Vertaling: Janneke Blankevoort

Omslag en vormgeving: Atelier van Wageningen, Amsterdam

ISBN 978 90 257 4433 5 / NUR 282

Behoudens de in of krachtens de Auteurswet van 1912 gestelde uitzonderingen
mag niets uit deze uitgave worden verveelvoudigd, opgeslagen in een geautoma-
tiseerd gegevensbestand, of openbaar gemaakt, in enige vorm of op enige wijze,
hetzij elektronisch, mechanisch, door fotokopieën, opnamen of een andere
manier, zonder voorafgaande schriftelijke toestemming van de uitgever.

Voor Katy, Lizzy en Laura,
met veel liefs

INHOUD

~1~

DE KIKKERS VAN BARRIE

'Araminta, waar heb je mijn kikkers gelaten?'
Wat is dat nou weer voor vraag? Het is de vraag
die Barrie Tovenaar vorige week stelde.

Ik gaf geen antwoord.

Ik gaf geen antwoord. Iedereen die ook
maar iets kwijt is in Spookie Huis, roept altijd:
'Araminta, waar heb je... gelaten?' Het maakt
niet uit wat het is, maar er is altijd wel iemand

die denkt dat ik er meer van weet. Ik snap niet waarom.

Neem nou gisteren. Tanja Tovenaar, die met mij in Spookie Huis woont – samen met haar ouders Barrie en Brenda, en mijn tante Tabitha en oom Drac – vroeg toen wat ik met haar groene sokken had gedaan. Tanja is zogenaamd mijn hartsvriendin, maar als je hoort wat voor toon ze soms aanslaat zou je dat niet denken. Ik vroeg Tanja of ze dacht dat ik haar stinkende groene oude sokken ook maar met één vinger zou aanraken. En of ze dacht dat ik ermee aan de wandel zou gaan. Ze lachte met dat irritante lachje dat ze van tante Tabbie heeft overgenomen, en zei: 'Hoe kan *ik* dat nou weten, Araminta?' Toen zei ik maar dat ze op de mesthoop achter in de tuin lagen. Uren later kwam ze terug; haar haren zaten onder de eierschillen en de schimmelige wortelkontjes. Ik heb haar niet meer gehoord.

Maar Barrie hield vol. 'Araminta,' zei hij bozig.

'Ja, Barrie?' antwoordde ik beleefd, al wist ik dondersgoed wat er zou volgen.

'*Waar* heb je mijn kikkers gelaten?'

Hier zat ik niet op te wachten. Tanja en ik waren druk bezig, te druk om gestoord te worden. Tanja was bezig een huisje te bouwen voor de kleine spinnen, zodat ze niet opgegeten zouden worden door de grote. Omdat dat weer niet eerlijk was voor de grote spinnen, maakte ik een huis voor *hen*. Het is een hele klus om een spinnenhuis te bouwen, maar Barrie, die alleen maar aan zijn kikkers kan denken, trok zich er niets van aan. Het zijn acrobatische kikkers. Dat betekent dat ze allerlei kunstjes kunnen. Ze kunnen bijvoorbeeld de radslag en haasje-over. En ze kunnen een kikkerpiramide maken; dat is best gaaf, als het je ding is. Barrie heeft – of liever *had* – vijf kikkers, en ze hebben allemaal

een naam. Ik weet alleen niet meer welke, want het waren allemaal suffe kikkernamen zoals Ermintrude en Gonzilla.

Barrie stond pal voor me, met zijn puntige blauwe schoenen op de grond te tikken, alsof hij op iemand stond te wachten die te laat was. 'Nu vind ik het niet leuk meer, Araminta,' zei hij.

Ik plakte eerst nog even het dak op mijn spinnenhuis, voordat ik deed alsof ik heel diep nadacht over wat Barrie had gezegd. 'Ik heb het nooit leuk gevonden, Barrie,' zei ik. 'Ik heb wel wat beters te doen dan met een stel stomme kikkers rond te sjouwen.'

'Je hebt ze toch niet weer in het bad gestopt en het bad leeg laten lopen, Araminta?' vroeg hij.

'Natuurlijk niet. En trouwens, ik had het bad niet leeg laten lopen. Tante Tabbie heeft dat gedaan. Ik liet ze juist lekker zwemmen.'

'Het was heet water, Araminta.'

'Ik probeerde ze alleen maar op te warmen. Ik dacht dat ze het koud hadden.'

'Ze hadden het nog kouder toen ik ze uit het afvoerputje viste, Araminta.'

Is het jou ook wel eens opgevallen dat mensen, als ze boos op je zijn, je altijd met je hele naam aanspreken? Dan weet je al hoe laat het is. Als tante Tabbie zegt: 'Nee Araminta, ik ben niet boos, ik ben alleen maar teleurgesteld,' dan weet ik dat ze wél boos is, vanwege dat 'Araminta'-gedoe. Oom Drac noemt me altijd Minty en hij is nooit kwaad op me. Ik bedoel maar.

Ik zag dat Barrie me niet zou geloven. Toen Tanja zei: 'We willen de kikkers best gaan zoeken, hè, Araminta?' zei ik daarom maar vriendelijk 'Ja, Tanja.' Barrie en Tanja keken me achterdochtig aan. Sommige mensen zijn ook nooit tevreden.

Spookie Huis is gigantisch groot. Ik weet niet eens hoeveel kamers er zijn. Telkens als ik ga tellen, raak ik de tel kwijt. Het lijkt wel of de kamers soms expres van plek verwisselen, zodat ik ze óf dubbel tel óf juist oversla. Dan zijn er ook nog de geheime kamers. Daar ken ik er maar eentje van, want de rest, de naam zegt het al, is geheim. De geheime kamer die ik ken, ligt midden in het huis aan het eind van een geheime tunnel. Hij is van Ridder Horatius, één van onze spoken.

Je snapt al dat het niet eenvoudig is om in zo'n groot huis kikkers te zoeken. Daar komt nog bij dat de meeste kamers vol staan met wat oom Drac altijd oude zooi noemt. Tante Tabbie noemt het echter 'koopjes' – oftewel wat gammele meubels die ze ergens op de kop heeft getikt. Dan wemelt het er ook nog eens van de spinnenwebben met enorme spinnen, die met gemak alle kikkers van Barrie op zouden kunnen eten (en dan ook nog wel een ontbijtje zouden lusten). Zoals je zult begrijpen, had ik weinig hoop ook maar één van Barries kikkers in Spookie Huis te vinden.

En terecht. We vonden er niet één.

Wat we wel vonden was:

- een rubberlaars met de familie muis erin
- een olifantenpoot die als deurstopper diende (geen idee waar de rest van de olifant was)
- zes brillen van tante Tabbie die ergens op de overloop, verstopt achter een muf gordijn, lagen te wachten tot ze gevonden zouden worden
- een doos met oude breinaalden
- vijf schroeven van de helm van Ridder Horatius

En tante Tabbie vond *ons*.

Tante Tabbie sluipt altijd door het huis, in

de hoop dat ze Tanja en mij kan betrappen op iets wat we volgens haar niet hadden mogen doen. Dit keer was het echt een makkie voor haar. Tanja was zo aan het schreeuwen dat ze ons meteen gevonden had.

We zaten boven in het huis in een torentje dat recht tegenover het vleermuizentorentje van oom Drac ligt. Tanja had voor haar verjaardag een telescoop van Brenda en Barrie gekregen; het leek me een goed plan om vanuit het torenraam met de telescoop de wijde omtrek af te speuren naar de kikkers. Daarom had ik Tanja gevraagd om op één van Tante Tabbies koopjes te klimmen – een spuuglelijke oude kast bij het raam. Tanja kan niet zo goed klimmen, dus gaf ik haar een pootje. Net toen ik de telescoop aan haar wilde geven klonk er een luide *krak* en weg was ze. Nou ja, bijna weg dan. Je kon alleen haar hoofd nog zien. Ik vond het wel een grappig gezicht, maar Tanja dacht daar anders over.

Ze begon te schreeuwen. Als Tanja schreeuwt moet je je vingers in je oren stoppen, want anders scheurt je trommelvlies.

'Stil, Tanja,' zei ik. 'Straks verjaag je de kikkers nog. Dan springen ze allemaal weg en vinden we ze nooit meer.'

'Wat kunnen mij die stomme kikkers nou schelen,' schreeuwde Tanja. 'Haal me hieruit!'

Ik was geschokt. 'Tanja,' zei ik, 'laat Barrie niet horen dat je zijn kikkers stom noemt.'

'Nou en, dat doe jij toch ook. Haal me hieruit! Help, help!' Plotseling klonk er een dreun en was Tanja's hoofd verdwenen. Nu zat ze helemaal in de kast.

'Help!' schreeuwde Tanja. '*Hellup!*'

Ik probeerde de deur open te krijgen, maar die zat op slot en er zat geen sleutel in. Toen ik aan het handvat trok, vloog dat eraf.

Tussen Tanja's geschreeuw door hoorde ik tante Tabbie vanuit de hal de trap op komen kletteren. Daarna hoorde ik haar over de wenteltrap naar het torenkamertje stommelen. Ze gooide de deur open, waardoor er een kapstok boven op haar voet viel. Tante Tabbie zag er niet blij uit. Haar haar piekte alle kanten op, zoals altijd als ze boos is, en haar bril stond op het puntje van haar neus. Klaar om zich bij zijn andere maatjes achter het muffe gordijn op de overloop te voegen.

'*Wat* doe jij hier, Araminta?' vroeg ze.

'Tanja is hier ook,' zei ik. Ik had er genoeg van altijd overal de schuld van te krijgen.

'Waar dan?' vroeg tante Tabbie achterdochtig.

'In de kast.'

'Help!' klonk een weggemoffelde schreeuw.

Tante Tabbie zuchtte. 'Brenda!' schreeuwde ze naar beneden. 'Brendaaaa. Tanja zit weer eens vast.'

Het kostte uren om Tanja te bevrijden. Uiteindelijk kreeg tante Tabbie de kastdeur met een breekijzer open. Ze was niet blij, want de deur was beschadigd. Brenda was ook niet blij, omdat Tanja, eenmaal uit de kast bevrijd, onder het stof en de schaafwonden bleek te zitten. En allebei gaven ze *mij* de schuld.

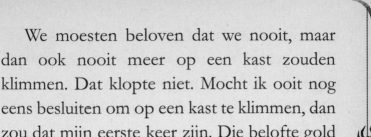

We moesten beloven dat we nooit, maar dan ook nooit meer op een kast zouden klimmen. Dat klopte niet. Mocht ik ooit nog eens besluiten om op een kast te klimmen, dan zou dat mijn eerste keer zijn. Die belofte gold dus niet voor mij. Tante Tabbie wilde net wat zeggen toen de deurbel ging. Brenda en tante Tabbie stormden naar beneden om open te doen. Nieuwsgierig als ze is, wil tante Tabbie altijd als eerste bij de deur zijn, maar Brenda, die even nieuwsgierig is, is kampioen trappenlopen en wint het altijd van tante Tabbie.

Tanja en ik hoorden hun voetstappen steeds zachter worden. Ik bereidde me voor op het gejammer van Tanja, maar er kwam niets. In plaats daarvan zei ze: 'Ik heb zitten denken toen ik in de kast zat.'

'Helemaal niet, je hebt zitten schreeuwen,' corrigeerde ik.

'Als je het precies wilt weten, Araminta, kan

je heel goed schreeuwen en denken tegelijk,' zei Tanja nuffig. 'Ik zat te denken aan die kikkers. Ik weet wat er met ze gebeurd is.'

Ik vatte het niet. 'Hoezo? Hebben ze een briefje in de kast achtergelaten?'

Tanja zuchtte. Geduldig legde ze uit: 'Kikkers kunnen niet schrijven, Araminta. Maar ze kunnen wel aanwijzingen achterlaten, bijvoorbeeld sporen van slijmerige kikkerpootjes. En zijn we die tegengekomen?'

Ik schudde mijn hoofd.

'Precies,' zei Tanja, op een toon alsof ze een detective was. 'Dat kan dus maar één ding betekenen.'

'O ja?' vroeg ik.

Tanja keek rond alsof tante Tabbie ieder moment uit één van de oude kasten tevoorschijn kon springen. Toen fluisterde ze: 'De kikkers van papa zijn *gekiknapt*.'

~2~

DETECTIVEBUREAU SPOOKIE

'Het woord "kiknappen" bestaat niet,' zei ik tegen Tanja.

'Wel waar,' zei Tanja, 'dat is precies wat er met Barries kikkers is gebeurd.'

We zaten op de trap achter in het huis, ver weg van tante Tabbie, die nog steeds boos was, en ver weg van oom Drac, die met hulp van de verpleegster een rondje door de hal liep. Oom Drac heeft een tijdje geleden allebei zijn benen

gebroken. Ze zijn nu wel weer genezen, maar hij moet nog oefenen met lopen. Daar heeft hij helemaal geen zin in, want hij wil liever zitten en breien. Maar volgens tante Tabbie is lang stilzitten slecht voor je, en al helemaal als je ondertussen iets leuks doet. Dus heeft ze een verpleegster ingehuurd die hem moet leren lopen.

Ik dacht diep na. 'Als iemand gekiknapt is,' zei ik, 'dan moet er een kiknapper zijn. En die moeten we zien te vinden.'

'Maar hoe?' vroeg Tanja.

'Da's een eitje,' zei ik. 'We moeten detective worden.'

'Wauw,' zei Tanja opgewonden. 'Hoe doen we dat?'

'Ik ga Detectivebureau Spookie oprichten. Ik word de directeur en jij wordt mijn hulpje. Zo gaan we dat doen.'

Tanja keek minder blij dan ik had verwacht. 'Maar *ik* wil directeur zijn,' zei ze. 'Van Detectivebureau Tovenaar.'

'Twee detectivebureaus die aan dezelfde zaak werken, dat geeft problemen,' zei ik. 'O kijk, daar is oom Drac. Dag oom Drac!'

Oom Drac kwam door het gangetje vanuit de hal onze kant op schuifelen. Zijn ronde, bleke gezicht werd beschenen door de zon. Ik was heel erg blij om hem te zien. Natuurlijk ben ik dat altijd, maar nu was ik extra blij, omdat ik voelde dat Tanja nog niet uitgepraat was over detectivebureaus. Maar toen oom Drac dichterbij kwam, zag ik dat hij niet blij was om mij te zien. Hij zag er zelfs bijzonder niet blij uit.

'O, dag, Minty,' mompelde hij. Hij probeerde te glimlachen, maar zonder succes. Normaal gesproken heeft oom Drac een grijns van oor tot oor. Dan kan je zijn mooie lange, puntige hoektanden zien. Maar dit was een tandeloze lach met de mondhoeken naar beneden. Ik vatte het niet persoonlijk op, want achter hem zag ik de reden voor zijn zure lach: zuster Watkins.

Zuster Watkins is *enorm*. Niet dat ik niet gewend ben aan enorm – Brenda, de moeder van Tanja, is ook enorm. Maar dan van het zachte, indrukbare soort. Als je Brenda knuffelt lijkt het alsof je in een groot, naar lavendel geurend, donzen kussen bent gedoken, en dat voelt lekker. Eigenlijk is het veel fijner dan met tante Tabbie knuffelen. Die doet haar best om lief te zijn, en dat is ze ook wel, maar haar ellebogen zitten altijd in de weg en ze stinkt naar zeep. Maar zo'n bundel spieren als zuster Watkins wil je dus echt niet knuffelen. Ze heeft enorme gespierde armen en benen. Volgens oom Drac komt dat omdat ze eigenlijk worstelaar is. Toen zuster Watkins gisteren kwam, moest ik haar bezighouden terwijl Brenda op zoek ging naar oom Drac. Ik vroeg haar van alles over worstelen, zoals wat haar beste hoofdklemmen waren en of ze elke dag moest trainen. Ze keek me alleen maar verbaasd aan. Tot opluchting van oom Drac was zuster Watkins er alweer vandoor gegaan, toen Brenda hem had gevonden (in zijn schuilplaats in de heg).

Vandaag was zuster Watkins echter gebleven. Daar stond ze, één grote bonk spieren, achter oom Drac. '*Linker*voet omhoog, naar voren en stap. *Rechter*voet omhoog, naar voren

en stap. *Niet schuifelen.* Knieën recht vooruit. Knieën, Drac, *knieën*!' De stem van zuster Watkins bulderde door de gang, ketste tegen de trap en deed pijn aan mijn oren. 'Je moet wel wat *moeite* doen. *Linker*voet omhoog, naar voren en stap. *Rechter*voet omhoog, naar voren en stap. Eén-twee, één-twee, één-twee, *één*. Ach toe, Drac, als ik niet beter wist, zou ik denken dat je op weg was naar een begrafenis.'

'Nog even en het wordt mijn eigen begrafenis,' hoorde ik oom Drac mompelen. Zuster Watkins hoorde volgens mij helemaal niets, want ze bleef maar doorgaan. '*Linker*voet omhoog, naar voren en stap. *Rechter*voet omhoog, naar voren en stap. *Knieën!*'

Ik besloot dat oom Drac wel wat hulp kon gebruiken.

Mijn ervaring is dat je met een help-ik-stik-gezicht meestal goed de aandacht af kan leiden. Nou ja, eigenlijk gaat het niet alleen om het gezicht: voor een maximaal effect moet je ook nog geluiden en gebaren maken. Het gaat zo, je weet maar nooit of het nog eens van pas komt:

STAP 1: Grijp met één hand naar je keel. Vroeger deed ik het met twee handen, maar ik heb inmiddels gemerkt dat het beter werkt als je één hand met geklauwde vingers door de lucht zwaait.

STAP 2: Tuur naar je wenkbrauwen zodat je ogen zo ver mogelijk naar boven rollen. Volgens Tanja kan ik mijn ogen heel goed wegdraaien, zodat je heel veel oogwit ziet. Hoe meer oogwit, hoe beter. Vraag niet waarom, maar mensen kunnen daar niet tegen.

STAP 3: Zwalk. Je kunt het best naar één kant overhellen – de tegenovergestelde kant van je zwaaiende arm – en dan zigzaggend rondrennen. Zorg ervoor dat je van tempo wisselt, en dat je, voor het speciale effect, ook een paar keer plotseling stopt. Als je stopt, moet je proberen om voorover te leunen en tegelijkertijd veel stikgeluiden maken. Dit kun je het beste voor het allerlaatst bewaren, zodat het effect maximaal is.

STAP 4: Geluidseffecten. Stikgeluiden (zie boven) zijn gemakkelijk. Het lukt me inmiddels om ze helemaal achter in mijn keel te maken, ook al krijg ik daar wel een beetje keelpijn van. Hoesten werkt ook goed, net als piepen (als het je lukt). De beste methode is om je eerst helemaal op de geluiden te storten en dan, als je alle aandacht hebt, plotseling te stoppen en alleen nog maar gebaren te maken.

STAP 5: De stille hijgende fase (zie boven). Wacht tot alle schijnwerpers op je gericht zijn. Succes verzekerd. Voor het beste resultaat moet het gehijg gepaard gaan met in kleine rondjes rennen.

STAP 6: Rond het nu af, voordat men zich gaat vervelen en/of achterdochtig wordt. Houd pas op de plaats en geef een klein, beleefd kuchje. Glimlach, zeg: 'o, dat lucht op,' en loop weg. Je kunt beter niet buigen. Die ene keer dat ik dat wel deed had iedereen me meteen door.

Dus zo hielp ik oom Drac – of liever gezegd zo wilde ik hem helpen, maar het liep niet helemaal zoals gepland. Want kijk, ik had er geen rekening mee gehouden dat ik mijn toneelstukje voor een *verpleegster* opvoerde.

Ik begon met Stap 1 en bewoog richting oom Drac. Die keek verbaasd toen ik zijn kant op kwam. Ik liep snel verder (om hem niet de stuipen op het lijf te jagen) en stortte me helemaal op Stap 2 en 3 terwijl ik me langs zuster Watkins wurmde. Ik was goed op dreef, en hoorde hoe de stampende laarzen van zuster Watkins mij achtervolgden terwijl ik de gang door rende. Perfect, dacht ik, het is gelukt – nu kan oom Drac ontsnappen.

Ik zat midden in stap 4 en was bezig om met stap 5 te beginnen, toen ik van achteren werd beetgegrepen door zuster Watkins. Ze sloeg haar worstelaarsarmen om mijn middel en perste. Ik dacht dat ik zou exploderen.

Deze ene keer schoot tante Tabbie me te hulp. 'Waar ben je mee bezig?' schreeuwde ze tegen zuster Watkins.

'Met de Heimlich-manoeuvre!' schreeuwde zuster Watkins terug.

Toen arriveerde oom Drac. 'Minty, Minty!' schreeuwde hij. 'Hoesten, Minty.'

Je begrijpt, stap 5 was niet meer aan de orde. Tante Tabbie, die sterker is dan ze lijkt, bevrijdde me uit de greep van zuster Watkins. 'Niks aan de hand,' zei tante Tabbie ferm. 'Geen paniek; Araminta doet dit wel vaker.'

'Dan moet je haar maar eens laten onderzoeken,' zei zuster Watkins, geïrriteerd omdat haar prooi uit haar klauwen weggerukt was.

Tante Tabbie zette me op de vreselijke monster-stoel bij de klok in de hal, en Brenda, Barrie, oom Drac, Tanja en zuster Watkins kwamen allemaal om me heen staan.

Ik toverde een zwak glimlachje tevoorschijn en gaf een kuchje.

'Gaat het, Minty?' vroeg oom Drac. 'Je ziet er nogal verhit uit.'

Zuster Watkins leek zich te ergeren. Ik denk dat ze zich had verheugd op een ritje in een ambulance met zwaailicht en sirene. 'Huh,' zei ze. 'Er zat alleen maar een kikker in haar keel.'

'Een *kikker*?' hijgde Barrie. 'Ik wist het. Ik *wist* het.'

Zuster Watkins wierp een verbaasde blik richting Barrie. Toen draaide ze zich naar oom Drac. 'Nou, Drac,' zei ze. 'Als het moet kan je wel degelijk vaart maken. Zullen we dat nog eens doen? *Linker*voet omhoog, naar voren en stap. *Rechter*voet omhoog, naar voren en stap.

Knieën!' Oom Drac schuifelde weg met een opdringerige zuster Watkins achter zich aan.

Hierna liep iedereen, behalve Tanja, weg. Ik had verwacht dat iedereen zich wat meer om mij zou bekommeren, maar niet dus.

Tanja duwde met de punt van haar schoen tegen de klauwen van de monsterstoel. 'Waar was *dat* nou allemaal voor nodig?' vroeg ze.

'Het was allemaal onderdeel van mijn plan,' kraakte ik met hese stem, terwijl ik nog wat kuchte.

'Welk plan?' vroeg Tanja achterdochtig.

'Om Barries kikkers terug te krijgen. Kan nu niet meer praten... moet wat drinken.'

Tanja zuchtte. 'Wat wil je?'

'Eén cola. O ja, en twee zakjes kaas-&-uien-chips.'

DE TAS

'Het is allemaal eigenlijk heel erg logisch,' zei ik tegen Tanja toen ik mijn cola op had en aan mijn tweede zakje chips was begonnen.

'Mag ik een chipje?' vroeg Tanja.

'Best, als je ze maar niet allemaal opeet,' zei ik.

'Heus niet,' mompelde Tanja, terwijl ze de grootste chips uit het zakje viste.

Heb jij dat ook wel eens? Een zakje chips

met één enorme chip en daaromheen een paar kleine – alsof die ene chip al zijn soortgenoten heeft opgegeten, terwijl hij op de plank in de winkel lag te wachten totdat het zakje eindelijk verkocht werd. Nou, zo'n chip had Tanja dus te pakken. Het enige wat er voor mij overbleef waren een paar miezerige bange chipjes. Ik kiepte de rest in mijn mond en zei: 'Eigenlijk is het zó logisch dat het me verbaast dat ik er niet eerder op ben gekomen.'

'Waaahzologies?' vroeg Tanja, terwijl ze mij met chipskruimels ondersproeide.

'Gatver, Tanja. Wanneer zijn Barries kikkers verdwenen?'

Tanja slikte: de reuzen chip ging zijn ondergang tegemoet. 'Papa heeft ze al drie hele dagen niet meer gezien.'

'En sinds wanneer komt zuster Watkins hier om tegen oom Drac tekeer te gaan?'

Tanja telde op haar vingers. 'Drie dagen?' vroeg ze. Tanja is niet zo goed in rekenen als ik.

'*Precies*, lieve Tanja,' zei ik met een lachje, alsof ik een detective was die net met een slimme list een moeilijke verdachte erin had geluisd.

'Waarom kijk je zo?' vroeg Tanja. 'Hou op, Araminta. Ik vind het eng.'

Ik zuchtte. Het valt niet mee om een dom hulpje te hebben, maar het is wel een goede oefening voor als ik later een echte detective word – iets wat ik de laatste tijd serieus overweeg. 'Barries kikkers zijn al drie dagen spoorloos,' zei ik. 'Zuster Watkins komt hier al drie dagen. Eén en één is twee. Logisch toch?'

Tanja fronste. 'Maar het zijn er drie,' zei ze. 'Dus dat is dan *zes*.'

'Nee, Tanja, luister. Kikkers weg: drie dagen. Zuster Watkins hier: drie dagen. *Snappie*?'

Eindelijk begreep Tanja het. Ze sperde haar ogen wijd open, net als haar mond. Dat was minder, want ik zag allemaal stukjes chips aan

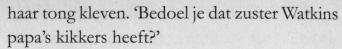

haar tong kleven. 'Bedoel je dat zuster Watkins papa's kikkers heeft?'

'Sst!' Ik wees driftig achter haar.

'O,' zei Tanja. 'Uh, goedemorgen, zuster Watkins.'

'Goedemorgen, schatje.' Zuster Watkins liep naar de monsterstoel en trok haar grote zwarte verpleegsterstas er onder vandaan. 'Ik laat mezelf wel uit,' zei ze. Toen stoof ze door de hal en gooide de voordeur achter zich dicht.

'Dat is nou balen,' zei ik. 'Ik had in haar tas willen kijken.'

Tanja keek geschrokken. 'Je kunt niet zomaar in iemands tas rommelen,' zei ze.

'Wel als je bewijsmateriaal zoekt... of *kikkers*.'

Tanja hapte naar lucht. 'Kikkers! Je denkt toch niet dat papa's kikkers in haar *tas* zitten!'

'Het zou best kunnen. Dat moeten we uitzoeken, nietwaar? Kom op, Tanja.'

Als ze wil kan Tanja best opschieten. Ze sprong op, pakte mijn arm beet en in een mum van tijd stonden we buiten op de oprijlaan. 'Als we snel zijn, halen we haar nog in,' zei ze. 'Dan kunnen we haar tas afpakken en papa's kikkers redden.'

Ik volgde haar over het slingerende pad naar het oude, roestige toegangshek. Dat hing, zoals altijd, half uit zijn voegen en leunde tegen de heg. Er leunde nog wat anders tegen de heg – oom Drac. Of beter gezegd, oom Drac zat *in* de heg. Spookie Huis wordt omringd door een hoge, dikke heg waar je je prima in kunt verstoppen. Oom Drac heeft een perfecte schuilplek bij het toegangshek, vanwaar hij alles in de gaten kan houden – en hij kan er ook nog eens breien in het groene schemerlicht.

'Minty,' siste hij, 'is ze weg?'

Ik zag de vierkante verschijning van zuster Watkins op een grote zwarte fiets de laan uitrijden. We moesten opschieten. 'Ja, ze is weg. We moeten ervandoor, oom Drac. Tot straks!'

Oom Drac wapperde met zijn breisel. Het was een raar rood-zwart gestreept ding met allemaal lussen. 'Wat vind je van je hoedje, Minty?' vroeg hij.

'Mijn *hoedje*?'

'Ja. Het staat je vast fantastisch.'

'O. Mmm, hij is umm... *prachtig*, oom Drac.'

'Doe het eens op.'

'Nee! Ik bedoel, nee, dank u, oom Drac. We moeten gaan. Daaaag!'

Toen we ons eindelijk van oom Drac bevrijd hadden, was zuster Watkins al verdwenen.

'Ze is weg,' zei Tanja terwijl ze naar de bocht aan het einde van de laan keek. Ik wist wel dat je niet meteen op moet geven als een verdachte uit het zicht verdwijnt. Een beetje detective verliest zijn verdachte minstens één keer uit het oog. Dan moet je hem of haar gewoon weer zien te vinden – en snel.

'Ze is net voorbij de bocht,' zei ik. 'Kom op, Tanja. Als we opschieten kunnen we haar inhalen.'

Tanja keek bezorgd. 'Dat is te ver weg van huis. We moeten mama laten weten waar we naartoe gaan,' zei ze.

'Dat vindt ze heus wel goed,' zei ik.

'*Niet* als ik het niet eerst meld.'

Ik zuchtte. Wat moet een detective nou met een suf hulpje dat zich bij haar moeder moet afmelden. 'Nou, ga dan maar. Vergeet alleen niet je skates aan te doen, anders vinden we die kikkers nooit.'

Soms verrast Tanja me; dan blijkt ze helemaal niet zo dom te zijn. Dit was zo'n moment. Tanja kwam razendsnel terug, en had zowaar haar skates aan – *en* ze had die van mij meegenomen. Tanja kan best goed skaten.

Ze sprong over de oude brokkelige trap bij de voordeur, gleed langs de oprijlaan, en gaf mij mijn skates.

'Hup, hup, nu *jij* nog,' grijnsde ze.

Dat liet ik me geen twee keer zeggen. Ik ben gek op skaten. Ik vind het zo tof dat Brenda en Barrie ons met kerst allebei skates hebben gegeven, ook al was tante Tabbie tegen.

De laan die naar Spookie Huis leidt is perfect om op te skaten. Er zitten geen hobbels en kuilen in, en er rijden geen auto's omdat tante Tabbie een bord heeft opgehangen: KIJK UIT, MIJNEN, ONTPLOFFINGSGEVAAR. Tanja en ik suisden weg op topsnelheid, en al snel waren we de bocht om. We stoven de heuvel af richting een klein huisje bij de beek. Plotseling maakte Tanja een show-stop – zo één waarbij je tegelijkertijd draait en stopt, om met je gezicht de andere kant op te eindigen. Ik knalde tegen haar aan en belandde in de sloot.

Dat was niet grappig en ik snapte niet waarom Tanja maar bleef lachen. Ik klom uit de sloot – waar gelukkig weinig water in stond – en zei dat ze stil moest zijn. Anders zou onze verdachte onraad ruiken. Dan zouden we de kikkers nooit vinden en dat was dan *haar* schuld. Mijn suffe hulpje hield op met lachen en zei: 'Daar is haar fiets!'

Tanja pikt dingen snel op. Inderdaad, daar stond de fiets van zuster Watkins tegen het huisje.

'Aha,' zei ik. 'We moeten gaan posten bij het huisje.'

'Wat?'

Ik zuchtte. 'We moeten hier wachten totdat ze naar buiten komt,' zei ik. Dat klonk op een of andere manier een stuk minder spannend.

Tanja en ik rolden stilletjes naar het huisje en verstopten ons achter de schutting. Tanja ontdekte een gaatje en tuurde erdoorheen. 'Als opperdetective moet ik dat doen,' zei ik.

Maar Tanja ging niet opzij. 'Dit gat heb *ik* gevonden,' zei ze, 'en het zijn wel mooi de kikkers van *mijn* vader.' Ze bleef door het gaatje turen, alsof ze iets ontzettend interessants zag. Ze stond een beetje te draaien. Ik had wel door dat er weinig opwindends te zien was. Na een tijdje verveelde Tanja zich. Toen was het de beurt van de opperdetective om het over te nemen – net op tijd.

De deur van het huisje ging krakend open en ik zag een snoezig oud dametje, met een verband om haar nek, met zuster Watkins naar buiten komen.

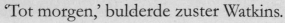

'Tot morgen,' bulderde zuster Watkins.

'Gaat dat lukken?' vroeg het oude dametje bezorgd.

'Ja, hoor,' verzekerde zuster Watkins haar. 'Ik plan mijn bezoekje op dezelfde tijd als vandaag. Na meneer Spookie en vóór de paddenstoelenboerderij.' Het oude dametje deed de deur dicht en zuster Watkins beende weg over het pad. Ze deed haar tas in haar fietsmand en pauzeerde even. Ze opende haar tas en rommelde erin. 'Jakkes,' hoorde ik haar zeggen. 'Straks vergeet ik zelfs mijn hoofd nog.'

Even later stond ze op de deur van het huisje te bonzen. Haar tas liet ze gewoon liggen, moederziel alleen, in het zonnetje. Een goede detective laat zo'n kans niet voorbijgaan; ik sprong achter de schutting vandaan en sprintte naar de fiets. Helaas was ik even vergeten dat ik skates aanhad. Grijp nooit een fiets vast als je zelf al acht wieltjes onder je voeten hebt – ik kan je vertellen dat dat niet op rolletjes loopt. Maar goed, ik deed dat dus wel. De fiets van zuster Watkins viel boven op me – en ook de inhoud van de tas.

Gatver.

Je wilt niet weten wat er allemaal in die tas zat.

~4~

DE KIKKERBUS

'Ik dacht al dat papa's kikkers niet in die tas zouden zitten,' zei Tanja de volgende morgen.

'O ja?'

'Ja. Dat was zo'n stom idee.'

Tanja en ik waren ons aan het klaarmaken voor een dagje naar het strand. Het was mooi weer. Normaal gesproken zou ik helemaal in mijn nopjes zijn, want ik ben gek op de zee. Toen ik nog alleen met tante Tabbie en oom

Drac woonde, ging ik nooit naar het strand. Tante Tabbie vond de zee maar gevaarlijk en oom Drac houdt niet zo van daglicht, en zeker niet van felle zon.

Maar vandaag was ik niet in de stemming om naar het strand te gaan. Ik had een slecht humeur en wel hierom:

1. Zuster Watkins had ons gisteren, nadat ik onder haar fiets was bedolven, gedwongen om met haar mee terug te gaan naar Spookie Huis. Daar betrapte ze oom Drac in de heg; ze heeft hem twintig keer heen en weer over het tuinpad laten lopen.

2. Oom Drac was vervolgens chagrijnig.

3. Toen Barrie vroeg hoe we het gepresteerd hadden om de fiets van zuster Watkins te vernielen, verklapte Tanja dat ik in haar tas had gekeken om te zien of zijn kikkers erin zaten.

4. Vervolgens werd Barrie chagrijnig.
5. En Brenda.
6. En tante Tabbie.
7. En *ik*. Want het was niet waar. Nog voor ik de kans kreeg om te kijken, was ik op brute wijze aangevallen door de tas van zuster Watkins.

Het was gewoon *niet eerlijk*.

Maar wat ik dacht liet iedereen koud. We gingen naar het strand, of ik nou wilde of niet. Sinds Brenda tante Tabbie heeft verteld over reddingsboten en hulphelikopters, vindt tante Tabbie de zee niet langer gevaarlijk. Ze is nu helemaal gek op het strand. Eerlijk gezegd lijkt het me best gaaf om een keer door een helikopter gered te worden. Maar niet samen met tante Tabbie.

'Als we er eenmaal zijn, Araminta, vermaak je je heus wel,' zei tante Tabbie. Pfff. Tante

Tabbie doet altijd alsof ze de toekomst kan voorspellen, maar dat kan ze echt niet.

'Hoe kan je nou weten of ik me ga vermaken,' vroeg ik. 'Misschien word ik wel door een haai opgegeten. Dat noem ik niet bepaald leuk.' Tante Tabbie keek omhoog alsof ze iets in haar wenkbrauwen zocht en zuchtte. 'Dat lijkt me ook niet bepaald leuk voor de haai.' Dat vond ik nou niet aardig.

Ik had nagedacht over wat zuster Watkins tegen het oude dametje had gezegd. Dat had een nieuw aanknopingspunt opgeleverd. Ik hoopte dat ze me zo chagrijnig zouden vinden dat ze zonder mij naar het strand zouden gaan. Ik had namelijk een plannetje – ik wilde ertussenuit glippen om naar de paddenstoelenboerderij te gaan.

Maar dat ging mooi niet door: we moesten met z'n allen in Barries busje naar het strand.

Behalve oom Drac natuurlijk.

En Barrie, die nog steeds zijn kikkers zocht. Ik vertelde Barrie dat wij ook nog steeds op zoek waren, maar Barrie zei dat we daar maar mee moesten stoppen. Wat Barrie alleen niet wist, is dat een goede detective nooit afhaakt. Sterker nog, hoe groter de druk van buitenaf om op te geven, des te groter is haar drang om door te gaan. Als een detective van haar baas te horen krijgt dat ze niet langer aan een zaak mag werken, dan weet je hoe laat het is – dan gaat ze ervoor en lost de zaak op.

Als *ik* dan niet naar de paddenstoelenboerderij mocht gaan, dan wist ik wel iemand anders. Terwijl Brenda, tante Tabbie en Tanja de picknickmand klaarmaakten en strandlakens zochten, ging ik op zoek naar Ridder Horatius.

Ridder Horatius is één van de twee spoken van Spookie Huis. De ander is een slap jochie dat luistert naar de naam Edmund. Hij is gek op Tanja, maar hij is een waardeloze hulp bij het kikkers zoeken. Hij is er namelijk alleen maar bang voor. Op Ridder Horatius kon ik echter wel rekenen.

Als je Ridder Horatius voor het eerst ziet denk je niet meteen aan een spook; hij lijkt gewoon een oud harnas. Maar in dat harnas zit een echt spook met de naam Ridder Horatius Bernard Susan Gijsbertus. Ridder Horatius is een spook geworden na een gevecht met een paar gemeneriken van de familie Servatius. Die hebben hem samen met Edmund in een afgrijselijke grot achtergelaten, waar ze zijn verdronken. Daarna hebben ze zijn kasteel ingepikt. Eén van de nazaten, Ouwe Pjotr, woont daar nog steeds, ook al is het kasteel zo goed als verdwenen en is het nu een *paddenstoelenboerderij*.

Nu moest ik eerst Ridder Horatius zien te vinden. Meestal is dat zo gepiept, omdat hij het grootste deel van de tijd in de hal rondhangt.

Ridder Horatius houdt van gezelschap en hij zit meestal verscholen in een hoekje bij de oude klok, waar hij alle voorbijgangers in de gaten kan houden. Maar die dag was hij nergens te vinden. Ik hoopte maar dat ik niet naar zijn geheime kamer zou hoeven gaan, want dat kost heel veel tijd. Dan zou tante Tabbie me gaan zoeken.

Ridder Horatius wil ook nog wel eens op de overloop rondhangen. Daar verblijft hij als hij wil gaan slapen, of als hij in een slecht humeur is. Ik rende naar boven via de grote trap in de hal, en sloop over de overloop, die heel lang is. Langs de kant loopt een balustrade die zo dik is dat je eraan kan hangen – als je het tenminste niet erg vindt dat je daar dan met een hele horde spinnen aan bungelt. Ik deed heel stilletjes; ik wilde niet dat Ridder Horatius mij aan hoorde komen. Hij is namelijk goed in verstoppen. Het was bijna donker op de

overloop, doordat tante Tabbie alle gordijnen had dichtgetrokken om de zon buiten te houden. Het beetje licht dat er nog was, werd getemperd door het bruine verfwerk. Omdat Ridder Horatius nergens te bekennen was, stond ik stil om te luisteren. En ja hoor, ik hoorde al snel het veelbetekenende gepiep van iets dat geolied moest worden.

Ik sloop over het stoffige oude kleed en zag al snel wat ik zocht – twee puntige harnasvoeten die onder een lang en verdacht bobbelig wandkleed uitstaken.

'Boe!' zei ik, en ik trok het wandkleed weg. Ridder Horatius sprong op en zijn harnas piepte als een bange hamster; of, beter gezegd, als een hele bende bange hamsters.

'Dag, Ridder Horatius,' zei ik. Ik zag wel dat hij nog steeds probeerde te doen alsof hij er niet was. 'Heeft u zin in een uitje vandaag?'

'NEE.' zei Ridder Horatius met zijn lage, bulderende stem waar ik telkens weer kippenvel van krijg als ik hem voor het eerst hoor.

'Alstublieft?' zei ik. 'Ik heb uw hulp nodig.'

Ik dacht dat ik Ridder Horatius hoorde zuchten. Je moet weten dat hij als ridder jonkvrouwen in nood niet kan laten stikken. Ik zie er misschien niet uit als een jonkvrouw, maar in de ogen van een gemiddelde ridder ben ik dat toch. Bovendien was ik in nood. Nou ja, zoiets. Namens de kikkers.

'WAT KAN IK DOEN OM U TE HELPEN, MEJUFFROUW SPOOKIE?' vroeg Ridder Horatius. Het had van mij wel wat enthousiaster gemogen, maar vooruit dan maar.

'Kunt u naar de paddenstoelenboerderij gaan? U weet wel — uw oude kasteel waar Pjotr Servatius nu woont.'

'WILT U DIE NAAM HIER NOOIT MEER NOEMEN, MEJUFFROUW SPOOKIE,' bulderde Ridder Horatius.

'Ik wil dat u op de paddenstoelenboerderij gaat zoeken naar kikkers.'

'KIKKERS?' vroeg Ridder Horatius.

'Dat klopt. Acrobatische kikkers. Vijf stuks.'

'O.'

Ik verwachtte dat Ridder Horatius nog wat zou zeggen, maar nee.

'Kom dan, Ridder Horatius.'

'WAT. NU?'

'Ja. We moeten zelfs opschieten.'

'KAN HET NIET EVEN WACHTEN?'

'Nee.'

Ridder Horatius zuchtte diep. 'VOORUIT DAN MAAR. IK KOM ER ZO AAN. MEJUFFROUW SPOOKIE. MAAR ALS IK NAAR MIJN OUDE KASTEEL GA. WIL IK ER WEL IETS VAN MEE TERUGNEMEN.' Hij maakte een buiging. Daarna leunde hij naar één kant, gooide zijn linkerbeen naar voren en liep de gang door met het meest vreemde loopje dat ik ooit heb gezien.

Ridder Horatius valt zo nu en dan uit elkaar. Tanja en ik hebben dan de taak om hem weer in elkaar te knutselen, maar op een of andere manier lukt het ons nooit om alles weer op de juiste plek te krijgen. Daarom loopt hij na elke reparatie weer anders. Ik denk dat hij dit keer zo vreemd liep omdat we tijdens de laatste reparatie ook Tanja's fiets in elkaar aan het zetten waren. Volgens mij zijn er toen een paar onderdelen verwisseld.

Een paar minuten later zat Ridder Horatius in de hal op mij te wachten. We kwamen nog net op tijd bij het busje. Tanja, tante Tabbie en Brenda hadden de picknickmand, kleedjes, parasols, windschermen, luchtbedden, snorkels, flippers en al die honderd andere strandspullen die Brenda altijd meeneemt, ingeladen. Brenda zat zenuwachtig achter het stuur – tante Tabbie leert haar autorijden – en Tanja zat al achterin met alle spullen.

Ridder Horatius stond in de deuropening naar het busje van Barrie te staren. Dat verbaasde me niets; iedereen staart altijd naar het busje van Barrie. Ik schaam me rot, zeker als ik er zelf in zit. Barrie heeft kortgeleden zijn busje (dat eerst van oom Drac was) beschilderd met kikkers. Enge beesten met grote ogen die alle kanten opspringen. Omdat de groene verf op was, heeft hij ze in de meest vreemde kleuren geschilderd. En de verf is ook nog eens uitgelopen. Het was bedoeld als reclame voor zijn kikkers (Barrie denkt dat hij bergen geld met ze kan verdienen), maar volgens mij is het alleen maar antireclame.

'Schiet eens op, Ridder Horatius,' zei ik. 'Brenda rijdt en ze kan er elk moment vandoor gaan.' Brenda is, zoals tante Tabbie het zegt, geen 'schakelwonder'. Met andere woorden: als Brenda rijdt, springt het busje met reuzenkikkersprongen vooruit.

Ridder Horatius kletterde de trap af. Gelukkig was tante Tabbie zo druk bezig om Brenda uit te leggen dat de auto *deze keer van de handrem af moest*, dat ze niks in de gaten had. Tante Tabbie vindt bijna niets goed, dus ik wist zeker dat ze erop tegen zou zijn als Ridder Horatius achter in het busje mee zou rijden naar de paddenstoelenboerderij.

Tanja had het wel in de gaten. Haar woorden: 'Nee Araminta, ik schuif *niet* op voor Ridder Horatius,' werden gelukkig overstemd door een oorverdovend lawaai. Tussen het geknars en gepiep door, hoorde je tante Tabbie roepen: 'Schakelen, Brenda! *Schakelen!*'

Ik trok Ridder Horatius naar binnen en knalde de deur net op tijd dicht. We reden met kangoeroesprongen de oprit af, de laan in, langs het bordje KIJK UIT, MIJNEN, ONT-PLOFFINGSGEVAAR. Ik moest lachen. Hoofd-detective Spookie zat boven op de zaak.

~5~

DE KIKKEREMMER

Wonder boven wonder veroorzaakte ons ritje naar het strand maar één slachtoffer.

Tanja kreunde steeds dat ze moest overgeven. Ik stootte continu mijn hoofd, maar bleef alert, zoals het een goede detective betaamt. Ik keek voortdurend uit het raam of we al bij de paddenstoelenboerderij van Ouwe Pjotr waren beland. Dat was maar goed ook, want onderweg wemelde het van de aanwijzingen.

Ten eerste: daar stond de fiets van zuster Watkins tegen het hek gestald.

Ten tweede: daar was Ouwe Pjotr. Hij droeg een grote, zware, rode emmer die eruitzag alsof hij vol zat met kikkers. Toegegeven, ik kon de kikkers niet zien, omdat Brenda op dat moment op twee wielen de bocht door vloog, tante Tabbie schreeuwde, en er iets ratligs met Ridder Horatius gebeurde.

Ten derde: op het bord vóór de paddenstoelenboerderij stond niet langer:

Er stond nu:

PJOTRS WATER WONDERLAND

Alles voor water, kom nu en niet later

RUIM ASSORTIMENT !!!!!

Ten vierde: raad eens wat er onder de uit-roeptekens stond? Yep, kikkers – vijf springen-de kikkers. En hoeveel kikkers heeft Barrie? Precies. *Vijf.*

Ik stond op het punt mijn hulpje – dat onder een berg handdoeken bedolven was – hierop te wijzen, toen het busje met een schok tot stilstand kwam en mijn hulpje boven op me belandde. We waren op de parkeerplaats van het strand gearriveerd.

Tante Tabbie gooide de achterdeur van het busje open en keek naar binnen. Ze zag witjes en haar bril viel bijna van haar neus. Ze was in een slecht humeur.

'Hoe komt Ridder Horatius in hemelsnaam *hier* terecht?' snauwde ze.

'Araminta heeft hem *gedwongen*,' zei Tanja. 'Hij wilde zelf niet.'

'Helemaal niet,' zei ik. 'Hij wilde *wel*. Nou jij weer.'

Tanja snoof hooghartig. Tenminste, dat was de bedoeling, maar het klonk meer als het snuiven van een varken. Je vraagt je misschien af waarom Ridder Horatius niks zei, maar dat kwam door Brenda. Dankzij haar rijgedrag was zijn hoofd eraf gevallen.

Ik viste zijn hoofd op van onder de parasol en plaatste het weer terug. Inmiddels ben ik daar erg goed in; als je het hoofd op de juiste manier terugzet, hoor je een klikje. Ik wachtte op de klik, maar er gebeurde niets. Daarom duwde ik het er nog een keer op en draaide de schroeven bij zijn schouders wat strakker aan.

'Voelt dat beter?' vroeg ik hem.

Ridder Horatius kreunde. 'NEE,' zei hij. 'HOOFDPIJN.'

'Laat mij het maar doen,' zei Tanja, terwijl ze mij opzij duwde. Zonder het ook maar te vragen, trok ze het hoofd van Ridder Horatius eraf – dat is erg onbeleefd, want je moet altijd eerst aan iemand vragen of je zijn hoofd eraf mag rukken. Toen zette ze het weer terug en er klonk een klikje. Huh.

'Is dit beter?' vroeg Juffrouw Wijsneus.

'**PERFECT.**' zei Ridder Horatius.

'Ridder Horatius moet hier blijven,' zei tante Tabbie, terwijl ze alle strandtroep uit het busje haalde. 'Hij kan niet mee naar het strand.'

'**IK HEB GEEN ENKELE BEHOEFTE OM LANGS KUSTEN TE DOLEN. TABITHA.**' baste Ridder Horatius. '**ROEST IS ZO AKELIG.**'

Tante Tabbie gaf de spullen door aan Brenda en Tanja, die vervolgens zwalkend naar het strand afdaalden. Toen smeet ze de achterdeur dicht. Ridder Horatius tuurde uit het raam – hoe zou hij hier ooit uit kunnen komen?

'Kom op, Araminta,' zei tante Tabbie ferm. 'Laat Ridder Horatius maar met rust.' Ze liep over het parkeerterrein. '*Nu* komen, Araminta!'

Ik volgde tante Tabbie langzaam. Toen ze beneden aan de trap bij het strand was aangekomen en haar schoenen uitdeed, zei ik plotseling: 'Hola! Ik ben mijn zakdoek vergeten, tante Tabbie. Ik moet even terug naar het busje om hem te halen.'

'Laat maar, ik heb wel zakdoekjes,' zei ze.

'Maar het is mijn lievelingszakdoek,' zei ik.

'Welke lievelingszakdoek?' vroeg tante Tabbie argwanend. 'Jij hebt toch helemaal geen lievelingszakdoek, Araminta?'

'Jawel. Hij is *zo* speciaal dat ik hem nog nooit aan iemand heb laten zien.'

Tante Tabbie zuchtte. 'Nou, vooruit, ga dan maar snel. En wel meteen naar de parasol komen.' Ze wees naar een grote gestreepte parasol vlak bij het water, die Brenda en Tanja, op een paar benen na, leek te hebben opgegeten.

Ik rende terug naar het busje en trok de deur open. Ridder Horatius leek niet erg blij om mij te zien. Hij leek zelfs in slaap te zijn gedommeld.

'Kom, Ridder Horatius,' zei ik. 'Ik heb uw hulp nodig. Weet u nog?'

'O. AHA.' bromde Ridder Horatius. Hij wurmde zich uit het busje en kwam voorzichtig overeind. Terwijl hij dat deed hoorde ik iets rammelend van boven naar beneden vallen.

'Moet ik dat er voor u uithalen?' vroeg ik Ridder Horatius.

'WAT ERUIT HALEN, MEJUFFROUW SPOOKIE?'

'Dat rammeltje.'

Ridder Horatius schudde met zijn rechtervoet. Het klonk als een oud blikje dat achter een fiets was gebonden. 'NEE, DANK U, MEJUFFROUW SPOOKIE,' zei hij. 'DAT HEB IK NOG NODIG.'

Ik kreeg niet meer de kans om hem te vragen wat het was, want inmiddels waren er een paar kleine kinderen om ons heen komen staan, die uit een vlakbij geparkeerde auto waren geklommen. Ze stonden naar ons te staren en te wijzen. Ik trok daarom maar weer eens mijn griezelmonstergezicht. Ze renden gillend weg.

Pjotrs Water Wonderland was vlak bij het strand. Je hoefde alleen maar een stukje over een smal zandpaadje te lopen, maar voor een oud spook in een beschadigd harnas met een vreselijke rammel is het een heel eind. Ik wilde er zeker van zijn dat het oude spook goed op de plaats van bestemming zou aankomen. Daarom besloot ik dat tante Tabbie maar eventjes moest wachten. 'Kom, Ridder Horatius, ik zal u de weg wijzen.'

We vertrokken met veel lawaai. Tijdens het lopen klonk er een luid geplonk en bij elke stap die Ridder Horatius met zijn linkerbeen zette, stoof er een zandwolk op. Het ging van *plonk-plonk plof, plonk-plonk plof,* en dan *plonk-plonk plof **ting***. Ik pikte een veertje op dat van Ridder Horatius was afgesprongen en ik stopte het in mijn zak. Hij verloor verder geen belangrijke onderdelen, en ik ging ervan uit dat hij het veertje wel even kon missen.

Terwijl we het paadje afliepen hoorde ik iemand roepen: 'Araminta, *Araminta*!' Het was Tanja, rood als een tomaat van het hardlopen.

'Zeg tante Tabbie maar dat ik over één minuutje terug ben,' zei ik geïrriteerd.

'Laat tante Tabbie maar,' zei ze hijgend. 'Ik wil weten wat jij met Ridder Horatius van plan bent. Je voert iets in je schild en je hebt mij erbuiten gehouden. Dat is *niet eerlijk*.'

'Ik heb allerlei aanwijzingen gevonden,' zei

ik haar. 'Ik ben de kikkers van Barrie op het spoor, maar jij lijkt er helemaal niet meer mee bezig te zijn.'

'Wel waar,' zei Tanja. 'Ik heb op het strand gezocht.'

'Daar zal je echt geen aanwijzingen vinden, Tanja. Zuster Watkins heeft ze gekiknapt.'

'Niet waar. Ze zaten niet in haar tas. Het enige wat jij in haar tas hebt gevonden is een…'

'Ophouden, Tanja. Daar moet je het niet meer over hebben. Kijk daar maar eens.'

'Waar?'

'Naar het hek van de paddenstoelenboer-derij. Wat zie je daar staan?'

Tanja kneep haar ogen tot spleetjes. Volgens mij moet ze een bril. 'Een fiets?'

'Geen gewone oude fiets, toch?'

'Nee?'

'Het is de fiets van zuster Watkins.'

'Jawel, maar ze heeft toch gezegd dat ze daar naartoe zou gaan. Dat *wisten* we al.'

'Maar waarom gaat ze daar naartoe, Tanja? Welk *motief* heeft ze?'

'Geen idee. Misschien heeft Ouwe Pjotr ook een steenpuist.'

'Tanja, je zou het er niet meer over hebben... Nou ja, ik zal je zeggen waarom ze daar is. Omdat ze met Ouwe Pjotr onder één hoedje speelt.'

Tanja hapte naar lucht. 'Hoe weet je dat?'

'Terwijl jij onder de strandlakens lag te slapen heb ik op de uitkijk gestaan. Daarom ben ik de opperdetective en jij niet. Zo meteen zal je zien hoe ik erachter gekomen ben.'

We bleven lopen – of beter gezegd strompelen, in het geval van Ridder Horatius – en al snel kwamen we bij het hek. 'Kijk eens naar het bord, Tanja,' zei ik, en ik wees naar de vijf kikker-uitroeptekens. Tanja hapte alweer naar lucht.

Ouwe Pjotr Servatius, een miezerig, pezig mannetje met een lange vette paardenstaart, kwam eraan gelopen – hij droeg nog steeds de rode emmer.

'WAT WILT U DAT IK DOE, MEJUFFROUW SPOOKIE?' rammelde Ridder Horatius. 'WILT U DAT IK ZIJN HOOFD ERAF HAK? DAT IK HEM IN DE HETE OLIE GOOI? OF DAT IK HEM ALLEEN MAAR MIJN GEVANGENE MAAK?'

'O! Nee, dank u, Ridder Horatius. Het is wel heel aardig dat u het aanbiedt. Ik wil alleen maar de kikkers redden. Ik denk dat ze in de emmer zitten.'

Ouwe Pjotr had ons al gezien. 'Hé!' riep hij. 'Wat moet dat hier?'

Hij zette zijn emmer neer en kwam aanstampen. 'De kaartverkoop begint pas

vanmiddag,' gromde hij. 'Kinderen alleen toe-
gestaan onder begeleiding en roestig afval
verboden. Jullie kunnen later terugkomen.
En nu ophouden met mij aan te staren alsof
jullie een stel demente goudvissen zijn. Opgehoepeld.'

Ik knikte en lachte. Ik probeerde tijd te
winnen, een trucje dat elke detective toepast
als hij in het nauw gedreven wordt en zich
bedreigd voelt door een verdachte. Ook al was
hij dun en pezig, hij zag er van dichtbij toch wel
sterk uit. Toen zag ik dat zijn rechter grote teen
uit zijn sandaal stak en in het verband zat.

'Speelt u voetbal?' vroeg ik beleefd. Je moet
altijd proberen om het vertrouwen van de
verdachte te winnen en hem het idee te geven
dat hij veilig is. Dan zal hij je uiteindelijk alles
toevertrouwen. Waarom hij het gedaan heeft,
hoeveel spijt hij ervan heeft, en zelfs wat voor
een fantastische speurneus je bent dat jij hem
gevonden hebt.

'Probeer jij soms grappig te zijn?' snauwde hij. 'Als je het echt wilt weten, ik ben door een schildpad gebeten.'

Ik zag dat ik zijn vertrouwen beetje bij beetje won. Daarom stelde ik een zogenaamde suggestieve vraag. 'Kikkers kunnen toch ook gemeen bijten?' vroeg ik mierzoet. 'Weet u zeker dat het geen kikker was?'

Dit was een belangrijk moment. Ik staarde Ouwe Pjotr aan, in de hoop dat een schuldige blik hem zou verraden, maar hij gaf geen sjoege. Hij had een vreemde uitdrukking op zijn gezicht – hij deed me denken aan tante Tabbie als ze heel erg geschrokken is, maar het niet wil laten merken.

Ik wachtte geduldig en bleef hem aanstaren in de hoop hem te betrappen op die ene schuldige blik. Ouwe Pjotr wilde net iets zeggen, ik weet zeker dat hij alles uit de doeken wilde doen, toen mijn suffe hulpje piepte: 'Wat zit er in uw emmer?'

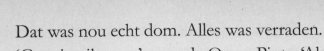

Dat was nou echt dom. Alles was verraden.

'Gaat je niks aan,' gromde Ouwe Pjotr. 'Als je wilt zien wat er in de emmer zit, moet je je vader of moeder of wie er ook in dat harnas zit, vragen of ze vanmiddag een kaartje voor je kopen. Gesnopen? En nu opgehoepeld. Rotkinderen.' Hij liep terug naar de emmer — maar Tanja was er eerder. Als Tanja wil kan ze echt hard lopen. Ze stoof langs Ouwe Pjotr en greep de emmer. 'Hé!' riep hij.

'Kikkers!' riep Tanja, terwijl ze de deksel optilde. 'Ik *wist* het, hier zijn ze. *Ik heb papa's kikkers gevonden!*'

Ouwe Pjotr griste de emmer uit Tanja's handen. 'Laat mijn emmer met rust,' gromde hij, 'en maak dat je wegkomt. Als ik jullie hier nog één keer zie, hebben jullie een probleem. Begrepen?'

Maar Tanja gaf het niet een-twee-drie op. Ze pakte de emmer terug en liet hem niet los, net als een hond die zijn bot vasthoudt. Het had me niets verbaasd als ze ook nog was gaan grommen. Tanja en Ouwe Pjotr begonnen te trekken, maar Tanja hield vol. Ouwe Pjotr was zo met haar bezig, dat hij niet in de gaten had dat er een berg afval op hem afkwam.

Ik wist niet dat Ridder Horatius kon *rennen*. Zonder ook maar één schroef te verliezen kwam hij aangesneld en greep de emmer.

'Zeg me wie je bent,' commandeerde Ouwe Pjotr. 'Kom tevoorschijn en vecht met open vizier. *Kom maar op.*' Ouwe Pjotr was niet zo lang als Ridder Horatius en hij moest op zijn tenen staan om in het vizier te kunnen kijken. 'Verstoppertje spelen heeft geen zin!' schreeuwde hij.

'IK ZIT HIERIN. SERVATIUS.' bulderde de stem van Ridder Horatius. Het klonk echt spookachtig. 'IK. RIDDER HORATIUS. BEN HIER GEKOMEN OM KIKKERS NA TE JAGEN. EN TERUG TE HALEN WAT MIJN RECHTMATIGE EIGENDOM IS. GA NU OPZIJ EN LAAT MIJ ERDOOR!' Ridder Horatius trok zijn zwaard – het zwaard dat Tanja en ik hem voor zijn vijfhonderdste verjaardag hadden gegeven – en wees ermee richting Ouwe Pjotr. Het zag er heel erg scherp uit.

'Voorzichtig!' schreeuwde ik. Mijn verdachte moest wel heel blijven.

'WEES GERUST. MEJUFFROUW SPOOKIE. HIJ IS AAN MIJN GENADE OVERGELEVERD. IK LOOP GEEN GEVAAR.' Ridder Horatius draaide zich om en gebaarde met zijn zwaard naar mij. **'MIJN BETROUWBARE VERJAARDAGSCADEAU LAAT MIJ NIET IN DE STEEK.'**

Ridder Horatius had ongetwijfeld al in geen tijden iets ridderachtigs gedaan. Zelfs ik weet dat je zo iemand als Ouwe Pjotr niet je rug moet toekeren, zelfs niet voor één seconde.

In die ene seconde greep Ouwe Pjotr het zwaard en gooide het op de grond. Het volgende moment greep hij Ridder Horatius bij zijn middel en gooide hem in de kruiwagen die vlak bij hem stond. Ridder Horatius kwam met een vreselijke smak neer, en allebei zijn armen lieten los. Hij lag als een gestrande kever in de kruiwagen met zijn voeten te spartelen. Het was vreselijk. 'Nora!' riep Ouwe Pjotr. *'Nora!'*

Uit het niets verscheen daar een kind met vlechtjes als penen, een slonzig T-shirtje en een korte broek, en lange slungelige armen en benen. 'Ja, papa?' piepte ze.

Ik schrok. Ouwe Pjotr vader? Hij zag er zo oeroud uit. En hij was zo *afstotelijk*.

'Pak die emmer, Nora,' zei Ouwe Pjotr, 'en zorg dat je van die pestkinderen afkomt.'

'Oké, papa,' zei Nora braafjes. Ze keek Tanja heel gemeen aan en zei: 'Rot op, Tanja Tovenaar, en neem die lelijke vriendin van je mee!'

Zo. Die kon praten.

'Ach, rot zelf op, Nora Servatius,' zei Tanja nuffig. 'We gaan sowieso weg. We hebben geen interesse in jullie oude stinktroep, toch, Araminta?' Tanja pakte mijn arm vast en trok me mee.

'Wat doen we met Ridder Horatius?' siste ik. 'We kunnen hem hier niet achterlaten.'

'We komen later wel terug,' siste Tanja, 'om hem *en* de kikkers te redden.' Ze trok me over het paadje naar de andere kant van de duinen. 'Die Nora Servatius is zo'n troela,' zei ze. 'Ze zit bij mij in de klas. Ze is ontzettend nieuwsgierig. Zolang zij hier rondhangt kun je het redden van Ridder Horatius of de kikkers wel op je buik schrijven.'

Aha. Eindelijk kwam mijn hulpje met wat nuttige informatie op de proppen.

'We moeten gewoon in vermomming terugkomen,' zei ik.

Toen trok ik met Tanja een sprintje naar de top van de duinen en duwde haar aan de andere kant naar beneden.

~6~

HAAI!

Toen we ons van de duinen bij Water Wonderland lieten afglijden, stond Brenda plotseling voor onze neus. Ze heeft een soort oerinstinct als het om het opsporen van Tanja gaat. Bovendien is Brenda's wil wet. Ook dit keer weer. Brenda wilde ons onder de parasol hebben, en wel *onmiddellijk*.

Daar kwamen we dan ook terecht – onder de parasol naast Poekie, Brenda's kat, die lekker in haar roze kattenmandje lag, met een roze zonnebril op, die weer paste bij die van Brenda.

En om het allemaal nog erger te maken, had tante Tabbie mijn gebreide hoedje van oom Drac meegebracht.

'Doe hem maar op, Araminta,' zei ze. 'Dat houdt de zon tegen.'

'Maar hij ziet eruit als een enorme inktvis, tante Tabbie,' zei ik. 'En hij is ook nog eens van wol. Straks *kook* ik.'

'Alles beter dan verbranden, schat,' zei tante Tabbie. Ze trok de wollen inktvis over mijn hoofd en zei: 'Zo. Het staat je enig.'

Er kwam een raar snurkend geluid uit Tanja, maar dat hield al snel op toen tante Tabbie haar hoed ook tevoorschijn trok. Je houdt het niet

voor mogelijk, maar die was nog erger dan die
van mij. Die van haar zag eruit als een groene
theemuts met bovenop een roze vis. Aan de
zijkant van de theemuts hingen twee blauwe
wollen vlechtjes.

'En *die* staat *jou* enig!' proestte ik. Ik dook
weg onder een handdoek om mijn lachen te
smoren.

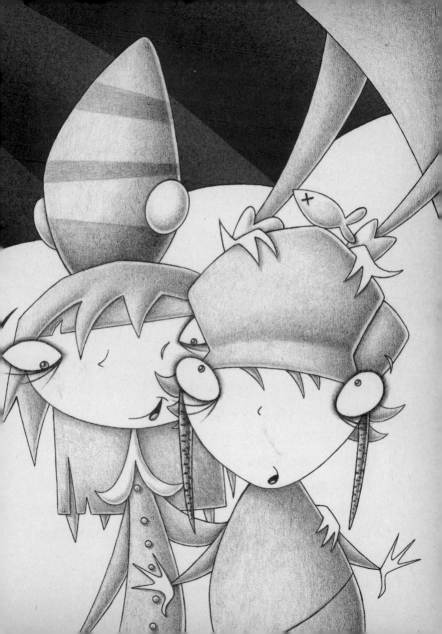

Stomme hoedjes of niet, we probeerden toch om tante Tabbie en Brenda van ons af te schudden. Maar het lukte niet. Volgens mij hadden ze samen iets afgesproken, want telkens als we ertussenuit probeerden te glippen, stond één van hen voor onze neus om ons tegen te houden.

Het was bijna gelukt om te ontsnappen toen Brenda ijsjes ging halen. Tante Tabbie zat weer eens een saai boek te lezen over hoe je dingen maakt – dit keer over kledingkasten – kan het nog *saaier*? Plotseling hoorde ik tante Tabbie snurken. Tante Tabbie snurkt niet heel erg hard, want dat is onbeleefd. Tante Tabbie probeert altijd beleefd te zijn, zelfs in haar slaap, maar dit was een duidelijke snurk. Ik knikte naar Tanja. 'Kom op,' fluisterde ik.

Maar ik was Poekie vergeten. Toen we opstonden, gaf Poekie een luide miauw. Tante Tabbie schoot overeind en zag ons weg-sluipen.

'Gaan jullie zwemmen, Araminta?' vroeg ze achterdochtig.

'Uh, ja, tante Tabbie.'

Er zat niets anders op dan te gaan zwemmen.

Eén voordeel van zwemmen was dat we oom Dracs hoedje niet meer op hoefden. Ik had tante Tabbie ervan overtuigd dat dat alleen maar nat zou worden en dan van ons hoofd zou vallen en zou zinken. Nu ik er zo over nadenk was dat misschien zo gek nog niet geweest.

Eigenlijk hadden we wel lol in het water. Ik spatte Tanja nat en deed alsof ik een zeemonster was. Daarna probeerde zij mij nat te spetten, maar ik was haar te snel af en ze werd boos. Opeens gilde ze: 'Haai!'

Tanja heeft een hele harde stem, en alle kleine kindjes die in de golven op en neer aan het springen waren, gilden en renden het water uit. Ik pakte Tanja's arm vast. 'Dat moet je niet doen,' zei ik. 'Het is flauw om die kleintjes zo bang te maken.'

'Laat *los*!' schreeuwde Tanja tegen me. Ze probeerde haar arm los te wurmen, maar ik ben sterker dan zij, dus ik won.

Tanja schreeuwde nog steeds: 'Laat me los, Araminta! *Laat los!* Daar is een haai!'

Nou ben ik dus niet dom — ik weet heus wel het een en ander over haaien. Ik heb een keer een werkstuk over haaien gemaakt en ik weet dat er *geen* haaien in de zee bij Spookie Huis zwemmen. Ze zouden niet durven. Als ik niet beter wist zou Tanja's geschreeuw me hebben doen geloven dat we omringd waren door haaien. Je zou bijna denken dat de enge muziek die bij rondcirkelende haaien hoort op zijn hoogtepunt was.

Pas toen Tanja even stil was omdat ze een slok water binnen had gekregen, zag ik hoe rustig het was geworden.

En hoe iedereen op het strand naar ons stond te wijzen.

Toen zag ik tante Tabbie en Brenda die zich door de menigte een weg naar het water baanden. Ze zwaaiden met hun armen en ik vroeg me af waarom, want ze houden geen van beiden van zwemmen.

Op dat moment zag ik de haaienvin.

Hij was heel erg dichtbij. Hij zag er op een of andere manier niet uit als een normale haaienvin; hij was veel groter. Het enige waar ik aan kon denken was dat er aan zo'n grote vin wel erg veel haai moest vastzitten.

Dat was geen fijne gedachte.

'Haai!' gilde ik.

'*Weet ik*,' gilde Tanja.

Tanja heeft veel kortere benen dan ik en ik win meestal van haar met hardlopen. Maar dit keer won ze met kilometers voorsprong. Ik keek hoe ze me voorbijschoot, haar kleine

beentjes door het water malend, terwijl ze
zoute druppels in mijn gezicht spatte. Ze keek
niet eens om om te kijken of ik door de haai
werd opgegeten of niet – je zou denken dat ze
niets om me gaf. Toen ik eindelijk op het strand
was aangekomen, zat Tanja al onder de parasol
met een handdoek om zich heen geslagen een
boterham met kaas te eten.

Tante Tabbie gaf me een harde benige knuffel, terwijl alle andere mensen op het strand naar de zee stonden te turen. Hun opwinding was al weer minder dan toen Tanja en ik nog in zee waren met de haai. Eigenlijk keken ze een beetje teleurgesteld. Ik weet zeker dat ik één kind hoorde zeggen. 'Maar mama, het is *niet eerlijk*. Ik heb nog nooit iemand door een haai opgegeten zien worden.' En dat zijn moeder toen zei: 'Nou ja, volgende keer beter.' Ik weet niet wat er van de jeugd van tegenwoordig moet worden. Om van hun moeders maar niet te spreken.

Vanaf dat moment was weglopen on-
mogelijk. Brenda, tante Tabbie en Poekie hielden hun kraaloogjes de hele middag op ons
gericht. Het werd nog saaier op het strand
omdat de haai, toen zijn lunch eenmaal verdwenen was, vrij snel vertrok. Iedereen tuurde
naar de vin die langs de kust wegzwom en
uiteindelijk achter de rotsen verdween. Daarna
brak iedereen de boel op, want niemand durfde
meer het water in. Al snel waren wij de enige
achterblijvers.

Tante Tabbie en Brenda stortten zich op
het bouwen van een zandkasteel. 'Kom op,
meisjes,' zei Brenda. 'Help eens mee om de
slotgracht met water te vullen.' Maar Tanja en
ik hadden wel wat beters te doen.

'Wat zou er met Ridder Horatius gebeurd
zijn?' fluisterde Tanja. Tante Tabbie en Brenda
waren zo druk bezig met de kasteelbrug die in
het water dreigde te vallen, dat ze ons gesprek
voor deze ene keer niet konden afluisteren.

'Weet ik niet,' fluisterde ik terug. 'Ouwe Pjotr heeft hem ondertussen vast uit elkaar gehaald en in zee gegooid. Of naar het vuilstorteiland gebracht. Of hem zelf omgesmolten. Of…'

'Hou op, Araminta,' siste Tanja. 'Stop!'

Brenda keek op. 'Zijn jullie weer ruzie aan het maken?' vroeg ze.

'Nee, mama,' zei Tanja nukkig. 'We vervelen ons.'

'Hoe kan je je nou vervelen op zo'n mooie dag als deze,' vroeg Brenda terwijl ze haar emmertje nog een keer omkieperde en weer een torentje op het kasteel zette. 'Wat wil je nou nog meer?'

Tanja zei niets, maar ik zag dat ze aan het nadenken was. En toen zei ze iets briljants. Het was zo briljant dat het mij verbaasde dat ik het niet als eerste had bedacht.

'Wij willen naar Water Wonderland,' zei ze.

~7~

WATER WONDERLAND

Tante Tabbie wil nooit betalen voor dingen die je ook gewoon gratis kunt zien – zoals vissen en schildpadden en kikkers – en ik wist dan ook zeker dat ze tegen een bezoekje aan Water Wonderland zou stemmen. En ja hoor, dat deed ze ook.

Ik vroeg haar wanneer ze voor het laatst een echte vis had gezien – eentje die rondzwom en niet eentje in paneermeel op haar bord.

Tante Tabbie snoof en zei dat zij haar vis nou eenmaal het liefste zo had.

Dat bracht me op een idee. Bij tante Tabbie weet je het maar nooit – ze eet graag vreemde dingen. Wie weet zaten er toevallig kikkers in de emmer van Ouwe Pjotr en waren het niet de kikkers van Barrie – detectives moeten altijd rekening houden met het toeval. Misschien was het in werkelijkheid zo dat tante Tabbie op een avond naar beneden was geslopen om haar honger te stillen en dat ze toen Barries kikkers in de koekenpan had gefrituurd. Ik voegde de gefrituurde-kikker-theorie toe aan mijn lijstje van mogelijkheden.

'Maar wat vindt u dan van *kikkers* in paneermeel, tante Tabbie?' vroeg ik.

Een detective moet scherp leren zien of iemand schuldig kijkt. Tante Tabbie keek echter zoals ze altijd kijkt wanneer ik iets zeg: verbaasd en tegelijkertijd geïrriteerd. Ze zei:

'Doe niet zo mal, Araminta.' Ik besloot de gefrituurde-kikker-theorie te schrappen.

Toen zei tante Tabbie iets wat *mij* erg verbaasde. 'Nou goed dan, als je het zo graag wilt gaan we wel naar dat Water Wonderland.' Ik denk dat tante Tabbie de kluts kwijt was door de haai.

Tanja en ik moesten onze hoedjes op. Ik legde Tanja uit dat ze een goede vermomming waren, omdat zij alle aandacht van ons zouden afleiden: niemand zou zien wie eronder schuilgingen, zelfs niet die Nieuwsgierige Nora.

Niet lang daarna stonden we met z'n allen bij het loket in het oude poortgebouw van Water Wonderland. Tante Tabbie vroeg met luide stem: '*Hoeveel*?'

De man die de kaartjes verkocht was niemand minder dan Ouwe Pjotr. Met zijn kraaloogjes tuurde hij naar tante Tabbie en gromde: 'U heeft me wel verstaan, mevrouw. Graag of niet.'

'Dan niet,' snauwde tante Tabbie. 'Onbeschofte man.'

Tanja slaakte een jammerkreet en Brenda – die ook een beetje vreemd deed sinds het voorval met de haai – opende snel het vleermuizentasje dat oom Drac voor haar had gebreid. 'Twee volwassenen en twee kinderen graag,' zei ze.

'Alle toegangsprijzen zijn hetzelfde,' gromde Ouwe Pjotr. Ik keek hem voorzichtig aan. Hij was kletsnat en stond te druppen boven de kaartjes. Dat vond ik verdacht. Hij zag dat ik hem aanstaarde en hij staarde terug. Toen zei hij: 'Al denk ik erover om de kinderkaartjes duurder te maken, omdat kinderen ons alleen maar meer last bezorgen.'

Ik weet zeker dat ik tante Tabbie zachtjes hoorde mompelen: 'Helemaal waar.'

Het was bomvol in Water Wonderland. Alle strandgangers liepen er nu rond, terwijl het eerder helemaal uitgestorven was. Ik denk dat iedereen zo geschrokken was van de haai dat ze nu alleen nog maar ongevaarlijke vissen wilden zien.

Tante Tabbie keek vol afschuw rond. 'Dit is een *walgelijk* oord,' zei ze. 'Ik snap niet waarom je hier naartoe wilt, Tanja.'

'Ik ook niet, Tanja,' zei ik. 'Het is vreselijk.'

'Doe niet zo idioot, Araminta,' siste Tanja. 'Je weet best waarom we hier naartoe willen.'

'Ik zaai verwarring,' siste ik terug. 'Ik wil niet dat tante Tabbie achterdocht krijgt.' Een goede detective denkt altijd vooruit, maar ik ken weinig detectives die, voordat ze kunnen gaan speuren, eerst hun moeder en de moeder van hun hulpje van zich af moeten schudden. Dat had *ik* weer.

'Waarom gaat u niet lekker een kopje koffie drinken met Brenda?' vroeg ik tante Tabbie.

Ze keek me achterdochtig aan. 'Hoezo?' vroeg ze.

Snap je wat ik bedoel?

De dichtstbijzijnde paddenstoelenschuur was omgetoverd in het Octopus Café. Op de gevel was een enorme inktvis geschilderd die met zijn tentakels een donut omklemde. Ook stond er een octopus op die acht koffiekopjes vasthield. Brenda was al onderweg. Brenda's kompas voor donuts is bijna net zo goed als haar zoekinstinct voor Tanja.

Brenda en Poekie hadden zich al snel geïnstalleerd met drie donuts en een milkshake; tante Tabbie nipte zuur aan een kopje thee.

'Mogen Araminta en ik gaan vissen, mama?' vroeg Tanja.

Brenda knikte en schoof nog een donut naar binnen.

'Brenda, er zit allemaal suiker op je neus,' zei tante Tabbie kribbig. Ze keek op haar horloge en zei: 'Niet te lang wegblijven. Het Vissenfestival, wat dat ook moge zijn, begint over een half uur.'

We hadden dus een half uur om Ridder Horatius te vinden, hem in veiligheid te brengen, de kikkers te vinden en *hen* te redden. Het was een krap schema, maar ik wist dat Detective Spookie de klus kon klaren.

Water Wonderland was een vreemd oord. Het was eigenlijk niet meer dan een landweggetje met aan de ene kant wat oude vervallen paddenstoelenschuren en aan de andere kant een groene circustent. Vóór de tent stond een bord met de tekst:

VISSENFESTIVAL!
Flitsende Vissen en
de Verrassing van je Leven!
De voorstelling begint om 4 uur!
KOMT DAT ZIEN!

'We hebben de kikkers gevonden!' zei Tanja. 'Hier zitten ze!'

Voor ik het wist had ze zich onder het tentdoek door gewurmd en verdween ze de tent in. Ik dook erachteraan.

In de tent hing een vreemde sfeer; er was een raar groenig schijnsel en het stonk er naar vis en platgetrapt gras. Er stonden drie rijen houten banken voor een enorme glazen bak, die tot de rand toe gevuld was met water. Er zwommen een paar verveelde vissen heen en weer. Rondom de bak was een brede houten rand waar een ladder tegenaan stond, en achter de bak hing een gestreept gordijn.

'Wedden dat de kikkers achter het gordijn zitten,' fluisterde Tanja. We klommen de ladder op, liepen langs de rand, en keken achter het gordijn. Daar was niets – geen kikkeremmer en geen Ridder Horatius. Het enige wat we zagen was een grote lege duikplank en een eenzame hoedenstandaard.

'Wat is het hier griezelig,' fluisterde Tanja. 'Geef mij maar paddenstoelen.'

Die waren nu alleen nergens te bekennen in Water Wonderland.

We besloten de oude paddenstoelenschuur tegenover de tent te onderzoeken. Bij de ingang waren een paar vreemde vissen geschilderd en iemand had op het verroeste dak 'A̶k̶w̶a̶r̶i̶u̶m̶ Aquarium' geschreven. Er kwamen twee kinderen met hun ouders naar buiten. Het

kleinste kind zei: 'Maar waarom drijven de vissen ondersteboven, papa?' en zijn vader antwoordde: 'Ik denk dat ze gewoon een beetje moe waren.' Toen zei het oudere kind: 'Een beetje *dood* zal je bedoelen,' waarop de kleinste in tranen uitbarstte.

We keken binnen bij het ~~Akwarium~~ Aquarium. We zagen van alles, maar geen Ridder Horatius of kikkers. Een paar peertjes aan een ratelige draad verlichtten vaag een grote druppende bak. De bak was groen en erg troebel. De enige vissen die ik kon zien waren een stel smerige zuigvissen die zich met hun snoet aan het glas hadden vastgezogen – en zelfs die lagen ondersteboven.

Op de volgende schuur stonden schildpadden geschilderd. Dat dacht ik tenminste, maar volgens Tanja waren het rotsen met pootjes. Binnen was het erg donker. Er brandde maar één peertje; we zagen alleen maar een paar oude paddenstoelkistjes en een paar van oom Drac's zakken, gevuld met vleermuizenpoep – daarom hielden alle kinderen hun neus dicht. In het midden was een geel plastic vijvertje waar een paar mensen omheen stonden. Omdat Tanja en ik een belangrijke missie hadden duwden we iedereen opzij om te zien wat er aan de hand was.

Het was verspilde moeite.

Midden in het vijvertje zat één kleine schildpad op een omgekeerde emmer. Ik kan wel wat leukers verzinnen dan naar schildpadden staren, maar veel mensen denken daar dus blijkbaar anders over. De schildpad staarde naar hen en zij staarden terug. Vet cool.

We lieten ze maar.

Buiten de schildpaddenschuur vond ik onze eerste aanwijzing. Ik raapte hem op en liet hem aan Tanja zien. 'Kijk!' zei ik. 'Een aanwijzing!'

'Helemaal niet, het is gewoon een roestige oude schroef,' zei ze.

'Precies. Van de helm van Ridder Horatius.'

'Dat weet je niet.'

'*Wel.* Als je de helm van Ridder Horatius zo vaak in elkaar hebt gezet als ik, dan ken je ieder schroefje uit je hoofd.'

En toen vonden we er nog één. En even verderop nog één.

'Misschien heb je wel gelijk,' zei Tanja.

'Natuurlijk heb ik gelijk,' zei ik. 'We zijn hem op het spoor. We hoeven nu alleen nog maar de schroeven te volgen en we komen bij Ridder Horatius uit.'

Het spoor leidde ons weg van de paddenstoelenschuren, langs een stinkend oud meertje naar de achterkant van de paddenstoelen-boerderij. Opeens begreep ik waar het naartoe liep. 'Het loopt naar de oude ruïne,' zei ik tegen Tanja. Ik raakte helemaal opgewonden; ik voelde me een echte detective.

'Welke oude ruïne?' vroeg ze.

Dat is nou precies waarom Tanja Tovenaar nooit een opperdetective zal worden. Ze kijkt niet goed. Pal voor onze neus stonden de oude ruïnes. Geduldig maakte ik mijn hulpje erop attent, maar die leek het niet echt te begrijpen. 'Dat is gewoon een stapel oude stenen,' zei ze.

Toen ik haar de oude deur met daarop het wapen van Ridder Horatius liet zien, veranderde ze van gedachten.

~8~

DE OUDE RUÏNE

Ik begreep wel waarom Tanja het een oude stapel stenen had genoemd. Daar leek de ruïne inderdaad op, maar dat ging ik haar niet zeggen. De enige reden waarom ik wist dat het geen stapel stenen was, was omdat oom Drac mij een keer op Halloween had meegenomen toen hij vleermuizenpoep bij de paddenstoelenboerderij moest afleveren.

Oom Drac verkocht vroeger biologische vleermuizenmest maar doordat hij alleen 's nachts afleverde, kreeg hij steeds minder klanten. Ik denk dat mensen ook bang van hem waren. Ik begrijp niet waarom, want oom Drac is de allerliefste persoon ter wereld. Maar op de avond dat ik oom Drac hielp met het afleveren van de vleermuizenpoep, heeft hij Ouwe Pjotr de stuipen op het lijf gejaagd. Wij hadden allebei onze vampiertanden in gedaan en ons met nepbloed ingesmeerd. Ouwe Pjotr gaf een schreeuw en rende hard weg. We hebben eindeloos staan wachten, maar hij kwam niet terug. Toen hebben we de mest maar bij het hek laten staan. Oom Drac fluisterde: 'Wil je de oude ruïne eens zien, Minty? Het spookt daar echt.'

Ik zei natuurlijk ja. Oom Drac had gelijk: de ruïne is heel erg spookachtig – bijna net zo spookachtig als Spookie Huis. Het lijkt wel of alle ridders en jonkvrouwen en prinsessen en pages van de afgelopen eeuwen daar nog rondzweven en niets beters te doen hebben dan je aan te staren. Maar dat vertelde ik maar niet aan Tanja. Ik had immers haar hulp nodig bij het optillen van de zware ijzeren staaf die iemand sinds ons laatste bezoekje voor de deur had geplaatst. Tanja mag dan wel klein zijn, maar ze is best sterk. Samen lukte het ons om de ijzeren staaf weg te halen.

'Het lijkt een beetje op een gevangenis – of een kerker,' fluisterde Tanja terwijl we naar binnen kropen.

'Het is geen kerker, gekkie,' zei ik haar. '*Die* zit onder het kaartjesloket – in het oude poortgebouw.'

Oom Drac had me uitgelegd dat de ruïne de donjon was, dat wil zeggen het ronde gedeelte in het midden van een kasteel waar men zich kon terugtrekken als de vijand de muren omver had gehaald en de boel onveilig maakte. Daar bracht men zich in veiligheid.

Ik deed mijn zaklamp aan en Tanja deed die van haar aan, na-aper als ze is. We schenen rond in de donjon en Tanja bleef maar 'Ooh' en 'Aah' zeggen, alsof ze iets heel ergs interessants zag. Maar er was niets te zien; alleen maar rotzooi. Ouwe Pjotr had alle spullen van de paddenstoelenboerderij hier opgeslagen, en er lag een enorme berg zakken van oom Drac tegen de muur opgestapeld. Er zaten allemaal scheurtjes in en de vleermuizenpoep lag overal op de grond. Daarom stonk het er zo. Persoonlijk vind ik oude vleermuizenpoep nog erger stinken dan nieuwe, en dat wil heel wat zeggen.

Toen schreeuwde Tanja – recht in mijn oor.

'Sst!' zei ik. Wat Tanja niet begrijpt is dat een detective niet alsmaar kan lopen schreeuwen.

Zeg nou zelf, wanneer heb jij een detective voor het laatst horen schreeuwen?

'Maar er kwam iets tegen mijn been aan,' siste ze.

'*Wat* kwam er tegen je been aan?'

'Weet ik niet,' jammerde Tanja.

'Sst! Daar moeten we dan achter zien te komen.'

'Dat wil ik niet, het is misschien iets *verschrikkelijks*,' fluisterde Tanja.

'Dan ga ik wel kijken.' Ik scheen met mijn zaklamp in het rond en daar zag ik het. 'Super!' zei ik. 'Je bent net tegen de kruiwagen met Ridder Horatius aangelopen.'

Ridder Horatius zag er niet blij uit in zijn kruiwagen. Zijn armen zaten klem tegen de zijkant en zijn bovenkant zat los van zijn onderkant.

'Gaat het, Ridder Horatius?' vroeg ik.

Hij gaf geen antwoord.

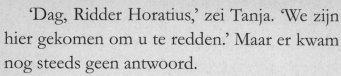

'Dag, Ridder Horatius,' zei Tanja. 'We zijn hier gekomen om u te redden.' Maar er kwam nog steeds geen antwoord.

Dat was hoogst ongebruikelijk, want Ridder Horatius is een heel beleefd spook. Daarom is tante Tabbie ook zo gek op hem. Het is niks voor hem om je zo te negeren, ook al ligt hij in duigen. Er was iets niet in de haak.

'Er is iets met hem gebeurd,' fluisterde Tanja. 'Iets *verschrikkelijks*.'

Ik opende het vizier van Ridder Horatius om naar binnen te kijken. Het voelde een beetje onbeleefd, alsof je in iemands hoofd kijkt.

'Is-ie daar?' fluisterde Tanja angstig.

'Dat weet ik niet,' zei ik. 'Ik weet niet goed hoe ik dat kan zien.'

'Waarom keek je dan?' vroeg Tanja knorrig. Maar ze keek zelf toch ook maar even. 'Hier zit hij niet,' zei ze, alsof ze het heel zeker wist.

Het punt is dat Ridder Horatius niet het

soort spook is dat je kunt zien; dit in tegenstelling tot zijn page, Edmund, die een rare kotsgroenige kleur heeft en omringd wordt door een naar schijnsel. Ridder Horatius leeft in zijn harnas en dat is alles wat je van hem ziet, zijn omhulsel.

'Hij moet hier toch zijn,' zei ik. 'Hij woont hier.'

'Niet meer,' zei Tanja. 'Misschien is hij wel ergens anders gaan wonen.'

'Doe niet zo dom, Tanja. Waar kan hij naartoe? Kom, laten we hem hier weghalen.'

Ik pakte de kruiwagen bij de hendels. Ridder Horatius was verrassend zwaar. 'Oef,' zei ik, 'duw de deur eens open, Tanja.'

'Maar dan ziet Nieuwsgierige Nora ons,' zei Tanja.

'Nieuwsgierige Nora ziet helemaal niks,' zei ik. 'We nemen Ridder Horatius mee naar de andere kant van het veld en daar dumpen we hem in de sloot. We bedekken hem met wat bladeren en dan ziet niemand hem. Dan komen we later wel terug met het busje om hem op te halen.'

'Je kunt hem toch niet in een *sloot* achterlaten?' riep Tanja.

'Nou ja, het is in elk geval beter dan in de donjon opgesloten te zitten. En het is maar voor even, toch?'

Tanja zuchtte en opende de deur, en ik reed Ridder Horatius naar buiten.

Na de donkere donjon was het zonlicht erg fel. Ik was blij om weer buiten te staan.

'Zie je Nieuwsgierige Nora ergens?' fluisterde Tanja, terwijl ze met haar oogjes tegen de zon stond te knipperen.

'Natuurlijk niet,' zei ik. 'Ik zei toch dat alles in orde was.'

Maar dat was niet zo.

Nieuwsgierige Nora sprong achter een

rots tevoorschijn en gilde: 'Hé! Wat doen jullie daar met mijn vaders nieuwe harnas? Ik ga jullie verraden.' Toen stoof ze weg met wapperende staartjes, terwijl ze gilde: 'Ik ga jullie verraden!'

'Snel!' zei ik. 'Laten we Ridder Horatius naar de sloot brengen.'

We renden samen over het veld met een ratelende Ridder Horatius in de kruiwagen terwijl we over het gras hobbelden. We duwden de kruiwagen door de heg naar de straatkant en gooiden Ridder Horatius in de sloot.

SPLATSJ!

Jammer genoeg stond de sloot vol water, maar dit leek mij in elk geval een beter lot dan een gevangene te zijn van Ouwe Pjotr.

'We maken hem later wel droog,' zei ik tegen Tanja. 'Nu hoeven we alleen nog maar de kikkers te redden.'

~9~

DE BAAS

Ik besloot dat we weer via de hoofdingang Water Wonderland in moesten gaan. Hier zou Nieuwsgierige Nora namelijk geen rekening mee houden. Het was heel erg rustig bij de ingang; er stonden alleen wat mensen verveeld in de rij voor een kaartje.

Tanja deinsde achteruit. 'Straks zien ze ons nog,' fluisterde ze.

'Wie?'

'De mensen van de kaartverkoop.'

'Er zit niemand,' zei ik haar. 'Kom op.'

'Maar iedereen zal zich toch afvragen waarom we naar binnen lopen zonder een kaartje te kopen?'

'Nou en? Ze zullen heus niks zeggen. Ze zullen gewoon denken dat we hier werken. We lopen met opgeheven hoofd naar binnen.' En dat deden we. Toen kreeg ik een briljant idee. Een goede detective grijpt de kans om het erf van een verdachte te onderzoeken met beide handen aan. Ik zag mijn kans schoon. Ik sleurde Tanja het kaartverkooploket in.

'Araminta, wat *doe* je?' zeurde ze.

'Dat werd hoog tijd,' zei de man die voor in de rij stond. Op zijn buik hing een baby in een draagzak en aan zijn been hing een klein kind dat met haar lolly zijn broek ondersmeerde. Hij keek niet echt blij. 'Wij willen kaartjes. We wachten hier al uren.'

'Hoeveel?' vroeg ik.

'Twee volwassenen en twee kinderen, *alstublieft*,' snauwde hij met de baby tegen zich aangedrukt. Hij wees naar een slonzige vrouw achter een buggy waarin een met chocola bedekte tweelinghelft van de lolly-smeerster zat.

'We doen niet aan kinderkaartjes,' zei ik hem. 'Kinderen bezorgen ons net zo veel last als volwassenen. Meer zelfs. Dat zijn dan vijf kaartjes in totaal.'

'*Vijf*?'

'Twee volwassenen, twee kinderen, en één baby. Twee plus twee plus één is vijf. Waar is de kaartjesrol, Tanja?'

Tanja werkte niet echt mee. Ze stond daar gewoon te staan en deed weer eens haar imitatie van een goudvis.

'Voor een *baby* reken je toch zeker niets?' vroeg de man.

'Jawel. Wilt u naar binnen of niet?'

'Nee,' zei hij kortaf.

De volgenden in de rij waren twee oude dametjes die een stuk redelijker waren. Tanja hield op met de goudvis uit te hangen. Ze vond de kaartjesrol, en we verkochten hun twee kaartjes. Toen zei één van hen: 'Mabel en ik zijn helemaal weg van jullie vissen- en inktvishoedje. Draagt iedereen die hier werkt zo'n mooi hoedje?'

'Alleen de bazen,' zei ik haar. Tanja hapte naar adem en liet de kaartjesrol vallen.

'Hopelijk worden ze hier ook verkocht,' zei het andere oude dametje. 'Vera en ik zijn gek op vissen. We zijn al jaren op zoek naar zulke hoedjes.'

'Als u wilt kunt u deze wel kopen,' zei ik haar. 'Ze zijn uniek en in een beperkte oplage gemaakt.'

'Echt waar?' De oude dametjes raakten helemaal opgewonden. 'Hoe duur zijn ze?'

Ik noemde een prijs en ik hoorde Tanja weer naar lucht happen.

'Hou daar eens mee op, Tanja,' zei ik, 'en geef me je hoed.'

De twee oudjes zetten onze idiote hoedjes op. Ze pasten perfect. De dametjes wandelden tevreden weg.

'Maar nu hebben we geen vermomming meer,' zei Tanja.

Ik zuchtte. 'Tanja Tovenaar,' zei ik, 'denk eens na. Wat droegen we toen Nieuwsgierige Nora ons tegenkwam?'

'Gewoon wat we altijd aan hebben,' zei Tanja niet-begrijpend.

'Dat en onze *hoedjes*. Dus wat zal haar het meest zijn bijgebleven – onze gewone kleren of de hoedjes?'

'De hoedjes?' vroeg Tanja.

'En waar zal ze naar uitkijken?'

'De hoedjes,' mompelde Tanja.

'En *wie* dragen die hoedjes?'

'De oude dametjes. Aha,' zei Tanja. 'Ik snap het.'

Het was een hele kluif om Tanja Tovenaar in een efficiënt hulpje te veranderen, en het ging zeker niet altijd van een leien dakje.

We verkochten nog tien kaartjes en deden het geld in het geldkistje. Toen bleven wij als enigen over. Het was hoog tijd om de eigendommen van de verdachte te inspecteren, om te zien of er gestolen goed bij zat.

Als je het eenmaal wist, was het overduidelijk dat het loket deel uitmaakte van het oude poortgebouw. Het kleine raampje waardoor je de kaartjes overhandigd kreeg, was de plek waar vroeger de poortwachter had gezeten en iedereen in de gaten had gehouden. En de plek waar vandaan ze kokende olie over ongewenste bezoekers hadden gegooid zat bovenin, tussen het klimop. Op ieder ander moment was ik graag de wenteltrap opgeklommen om te kijken of er nog wat potten olie stonden, maar nu moest ik kikkers zoeken.

Het kaartverkoopkantoortje was piepklein en binnen twee seconden had ik door dat daar geen kikkeremmer stond. Maar achter het kantoortje lag een kamertje waar wat jassen hingen. Dat zag er veelbelovend uit – het was een perfecte plek om je emmer of je gekiknapte kikkers te verbergen. Er hing een schooluniformjas van Nieuwsgierige Nora, exact dezelfde als die van Tanja, een groezelige stofjas van Ouwe Pjotr, en er hing – een haai!

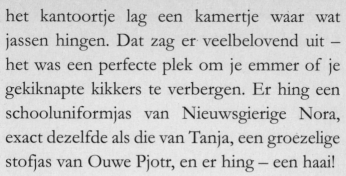

Iemand had een haai aan de kapstok gehangen!

Tanja, die nieuwsgierig is – een goede eigenschap voor een hulpje van een hardwerkende detective die niet aan alles tegelijk kan denken – poerde in de haai. 'Het is een haaienpak,' zei ze. 'Kijk!' Ze wipte het van de haak en het haaienpak viel boven op haar.

'Ta-*dam*... ta-*dam*, ik kom je pakken!' zei Haaien-Tanja. 'Hap, hap, *hap*!'

'Haaien zeggen geen hap,' zei ik haar. 'Krokodillen zeggen alleen hap. Doe het eens uit, Tanja.'

Tanja wurmde zich onder het pak vandaan. Ze zag er opgewonden uit en haar haar piekte alle kanten op alsof ze net uit bed kwam. 'Ik vind het leuk om detective te zijn,' zei ze. 'Het is gaaf.'

'*Assistent*-detective,' corrigeerde ik haar.

'Volgens mij, Araminta,' zei ze gewichtig, 'ben ik nu een *echte* detective.'

'Ik dacht het niet,' zei ik streng. 'Je moet nog heel veel leren.'

'*Jij* hebt er nooit iets voor geleerd, dus ik zie niet in waarom *ik* dat wel zou moeten.'

'Sommige mensen hoeven niet te leren. Sommige mensen zijn geboren detectives, daar kunnen ze niks aan doen.'

'Nou, aangezien ik van alles over die haai te weten ben gekomen, ben ik volgens mij een echte detective.'

'Wat weet je dan allemaal?' vroeg ik verveeld.

'Ten eerste, er zwom geen echte haai in de zee, het was Ouwe Pjotr in het haaienpak.'

'Dat wou ik net zeggen.'

'O, maar je hebt het niet gezegd, *toch*?' Tanja raakte geïrriteerd. 'En je hebt ook geen uitleg gegeven *waarom* Ouwe Pjotr in een haaienpak rondzwom om iedereen bang te maken, toch?'

'Ik hoef jou toch niet al mijn theorieën te vertellen?' zei ik.

'Dus waarom deed hij dat dan?'

Ik zuchtte. 'Dat is één van de vragen die ik Ouwe Pjotr ga stellen als ik hem gearresteerd heb voor kiknappen.'

'Je hoeft het hem helemaal niet te vragen,' zei Juffrouw Wijsneus, 'want ik ga het je uitleggen. Hij is in een haaienpak gaan rondzwemmen om iedereen van het strand weg te jagen en naar Water Wonderland te lokken. Hij heeft ons, en al die kleine kinderen, bang gemaakt zodat hij heel veel kaartjes kon verkopen en er veel mensen op papa's kikkers zouden afkomen. Het is geen leuk iemand.'

'*Mij* heeft hij niet bang gekregen,' zei ik. 'Je moet je zaakjes wel op een rij hebben als je een echte detective wilt zijn.'

'Ik *ben* een echte detective,' zei Tanja. 'En ik vind dat ik van nu af aan de baas moet zijn.'

'*Wat?*' Ik was geschokt. Dit was muiterij.

Tanja vouwde haar armen over elkaar en keek net als de parkeerwachter die tante Tabbie vorige week een boete had gegeven; heel erg zelfingenomen en tegelijkertijd zo van: heb-ik-je-mooi-te-pakken-ha-ha. 'Kijk naar de feiten, Araminta,' zei ze. 'Hebben we papa's kikkers gered? *Nee.* Hebben we Ridder Horatius gered? *Nee...*'

Dit was te erg. 'Dat is *niet waar*,' zei ik haar. 'We hebben de kikkers *wel* gevonden.'

'Maar hebben we ze gered?'

'Nee, maar dat komt nog wel. En Ridder Horatius hebben we *wel* gered. Hij ligt veilig in de sloot.'

Maar Tanja gaf nog niet op – dat zag ik aan de vijandige blik in haar ogen; dezelfde als die van tante Tabbie wanneer ze weet dat ik iets verkeerd heb gedaan en ze net zolang doorvraagt totdat ze erachter komt wat het is.

'We hebben wel zijn harnas gered,' zei ze, 'maar Ridder Horatius zit er niet in.'

'Dat weet je niet, je zit gewoon te – wat was *dat*?'

'Wat?'

'Er tikte iemand op mijn schouder.'

'Het heeft geen zin om van onderwerp te veranderen,' zei Tanja. Plotseling sprong ze op. 'Er tikte net ook iemand op mijn schouder,' fluisterde ze.

Het was heel erg griezelig. Er kwam een akelige windvlaag voorbij en het voelde opeens alsof iemand in het kleine kamertje naar ons zat te luisteren.

'Laten we maken dat we hier wegkomen,' fluisterde Tanja. 'Het *spookt* hier.'

Maar na Tanja's poging om de leiding van Detectivebureau Spookie over te nemen, ging ik niet toegeven dat ik ook bang was.

'Nee hoor,' zei ik haar.

'TOCH WEL,' klonk een spookstem. 'MEJUF-FROUW SPOOKIE. MEJUFFROUW TOVENAAR. ALS U ZO VRIENDELIJK WILT ZIJN MIJ TE HELPEN.'

~10~

DE KERKER

'Ik zei toch dat Ridder Horatius niet in zijn harnas zat,' was alles wat Juffrouw Wijsneus te zeggen had. Als ze een echte detective was geweest, had ze Ridder Horatius ondervraagd waarom hij zijn harnas had achtergelaten. En waarom hij het poortgebouw onveilig maakte in plaats van kikkers te redden. Ik bedoel maar, wat heeft het voor zin om een jonkvrouw in

nood te zijn als je ridder ervandoor gaat om zijn eigen ding te doen?

Dus Opperdetective Spookie moest weer eens de verdachte ondervragen – ik bedoel Ridder Horatius.

Ridder Horatius zei dat hij hier was gekomen vanwege zijn schat die hem lang geleden was ontnomen. Hij lag in de erker onder het kaartloket. 'IK HEB ER ALTIJD VAN GEDROOMD OM OP EEN DAG MIJN RECHTMATIGE EIGENDOM TERUG TE HALEN.' zei hij. 'EN TOEN JULLIE MIJ VROEGEN OM OP KIKKERJACHT TE GAAN. WIST IK DAT IK EINDELIJK MIJN KANS KREEG. WANT. MEJUFFROUW SPOOKIE. IK HEB UW HULP NODIG. HET VALLUIK ZIT HIER. ALS U MIJ ZOU WILLEN VERGEZELLEN.'

Ik ben gek op kerkers en nog gekker op verdwenen schatten, dus ik tilde het valluik op en keek in een donker gat. Het was erg koud daar beneden. Ik deed mijn zaklamp aan (een

goede detective kan niet zonder zaklamp) en we zagen een paar traptreden, een aarden vloer en slijmerige groene muren. Het zag er top uit.

'Kom, Tanja,' zei ik.

Tanja volgde me de trap af en al snel stonden we in een prachtige kleine kerker. De kerker was leeg, op een oude schop na die tegen de muur stond.

De stem van Ridder Horatius echode in de kleine ruimte en ik kreeg kippenvel. Hier beneden klonk zijn stem nog spookachtiger.

'IK ZIE DAT U MIJN SCHOP HEEFT GEVONDEN,' zei hij. 'HIJ STAAT NOG PRECIES OP DE PLEK WAAR IK HEM HEB ACHTERGELATEN. KUNT U ALSTUBLIEFT EEN GAT GRAVEN? PRECIES DAAR WAAR MEJUFFROUW TOVENAAR STAAT?'

'Ikke? Graven?'

'Je hebt hem toch gehoord,' zei Tanja. 'Graven.'

Sommige dingen moet een opper-detective nou eenmaal regelen en dit was er zo een. Ik stak de schop in de grond en ging aan de slag.

'Niet daar,' zei Juffrouw Pietlut, '*hier*.' En ze sprong opzij. 'Waar ik stond.'

'Hoe kan ik me nou concen-treren als jij rondspringt als een dement konijn?' vroeg ik haar. 'Schatgraven vereist vakkundigheid.'

Het was een zware klus, maar tien minuten later stootte de schop met een luide *plof* op iets hards. Terwijl ik de aarde wegschraapte, hoorde ik Ridder Horatius – die zo stil was geweest dat ik me net begon af te vragen of hij ergens anders naartoe was gezweefd – plotseling schreeuwen. **'IK ZIE HEM! MIJN SCHATKIST!'**

Aha! Detectivebureau Spookie had weer eens gescoord.

Tanja en ik trokken de kist uit het gat. Hij was heel erg zwaar en precies zoals je het je voorstelt – van donker, dik hout met een halfronde deksel. Overal zaten metalen nagels en er liepen twee brede ijzeren banden overheen. In het midden zat een groot koperen sleutelgat.

Ridder Horatius was helemaal opgewonden. Je kon hem dan wel niet zien, maar zijn stem verried een lach. Een grote lach. **'MIJN SCHAT, MIJN SCHAT,'** bleef hij maar zeggen.

'Maak hem open, maak hem open!' zei ik. Je krijgt per slot van rekening niet elke dag een schat te zien die meer dan vijfhonderd jaar begraven is geweest.

'**O,**' zei Ridder Horatius en ik kon horen dat zijn lach verdwenen was.

'Wat is er?' vroeg ik hem, maar hij gaf geen antwoord.

'Hij heeft geen sleutel,' zei Tanja. 'Dat was wat er rammelde in zijn harnas.'

'Hoe weet jij dat nou?' vroeg ik haar.

'Deductie,' zei Juffrouw Wijsneus.

'*Watte?*'

'Dat doen detectives. Eén plus één is twee.' Tanja keek me op een zuster Watkins-achtige manier aan, al begreep ik niet waarom.

'Nou, als jij dan zo goed weet waar de sleutel is, kan je hem ook wel halen,' zei ik. '*Wat was dat?*'

Plof, plof, plof. Er klonken voetstappen in het kantoortje. Grote, lompe voetstappen.

'Dat is Ouwe Pjotr,' fluisterde Tanja.

'Ssst...' fluisterde ik. 'Misschien is het niet Ouwe Pjotr, misschien is het...'

'Nora, Nora... ben jij daar?' schreeuwde Ouwe Pjotr nors. 'Ik heb zo gezegd dat de deur dicht moest. Iedereen kan zomaar binnenlopen. *Nora*?'

'We zitten in de val,' fluisterde Tanja. Ze keek heel angstig.

We luisterden naar het gestamp van Ouwe Pjotrs grote laarzen. De voetstappen klonken nu recht boven ons en ik wist dat hij elk moment het open valluik zou zien.

En toen vond hij het. Heel plotseling. Eigenlijk extreem plotseling. Het ene moment was hij nog boven aan het stommelen, en het volgende moment lag hij plat op zijn rug op de kerkervloer naar Tanja en mij te staren. Hij keek een beetje verrast.

'Ook goeiendag, Ouwe Pjotr,' zei ik met

vriendelijke stem, want ik wilde hem niet het gevoel geven dat hij ons stoorde – ook al deed hij dat wel. Soms moet je gewoon beleefd blijven en dit was zo'n moment.

Maar Tanja is niet zo beleefd als ik. 'Laten we maken dat we wegkomen!' schreeuwde ze, en ze stond binnen twee seconden boven aan de trap. Ik snelde achter haar aan.

'MIJN SCHAT.' kreunde Ridder Horatius. 'IK HEB VIJFHONDERD JAAR MOETEN WACHTEN OM HEM TERUG TE HALEN VAN DE FAMILIE SERVATIUS. VIJFHONDERD JAAR ALLEEN MAAR OM HEM WEER ONDER MIJN HANDEN VANDAAN GEGRIST TE ZIEN WORDEN. AAAIAIAI.'

'Nu moet u ophouden, Ridder Horatius,' zei ik hem op mijn beste tante Tabbie-toontje. 'Stil maar. Het komt allemaal goed. Ik heb een plan.' Nu was het Tanja's beurt om te kreunen, maar ik besteedde er geen aandacht aan.

Ik gooide het valluik dicht.

'Hé!' klonk een gesmoorde schreeuw uit de kerker.

'Help me alsjeblieft met de brandkast op het luik te schuiven, zodat hij er niet meer uit kan,' zei ik.

'Dat kan je niet maken,' zei Tanja.

'Ja hoor,' zei ik. 'Je wilt toch niet dat hij met de schat ontsnapt, of wel soms?'

Tanja schudde haar hoofd.

'Hé, laat me *eruit*!'

De brandkast was heel erg zwaar maar het lukte ons toch. Nu had Ouwe Pjotr geen schijn van kans om te ontsnappen.

'Luister,' zei ik. 'Het Vissenfestival begint over een paar minuten en als dat niet gebeurd, zal iedereen, inclusief Nieuwsgierige Nora, Ouwe Pjotr gaan zoeken. Ze zullen hem al snel gevonden hebben, zeker met al dat geschreeuw. Dan zullen ze ook de schat vinden – die van hem is omdat hij de eigenaar is van dit oord...'

'HELEMAAL NIET,' zei Ridder Horatius. 'DAT BEN IK.'

'Ja, *wij* weten wel dat *u* dat bent, Ridder Horatius, maar niemand anders weet dat. Zoals ik al zei, ik heb een plan om de schat *en* de kikkers terug te halen. Oké?'

'Wat voor plan?' vroeg Tanja achterdochtig.

'*Wij* verzorgen het Vissenfestival.'

'*Wat?*'

'En Ridder Horatius speelt Ouwe Pjotr.'

Tanja deed haar gestrande-goudvis-imitatie. 'Maar... *hoe* dan?'

'Met het haaienpak,' zei ik.

Tanja opende haar mond, maar zei niets. Dat hoefde ook niet. Ik wist dat het mijn meest briljante plan ooit was.

~11~

DE SPOOKHAAI

Het valt niet mee om een bejaard spook onder een tentdoek in een haaienpak te hijsen, maar het is gelukt.

We waren achter de paddenstoelenschuren langs naar de tent geslopen, omdat we dachten dat een wandelende haai wel erg zou opvallen. Onderweg lichtte ik Ridder Horatius in. 'Als iemand met een nare hoge piepstem papa tegen u zegt, dan moet u net doen alsof u dat

bent. U bent papa. Begrepen? En dan moet u zeggen dat Tanja en ik verantwoordelijk zijn voor de show. Goed?'

Ridder Horatius was even stil en zei toen: **'WAAROM?'**

'Omdat dat een belangrijk onderdeel is van mijn plan. Vertrouw maar op mij.'

Tanja knorde als een varken, maar ik negeerde haar omdat ik te druk bezig was met Ridder Horatius onder het tentdoek door te duwen.

In de tent was niemand aanwezig behalve Nieuwsgierige Nora, die met een bezorgd gezicht rondhing bij de grote vissenbak. Buiten stond een ongeduldige menigte te trappelen om naar binnen te gaan – het Vissenfestival had al twintig minuten geleden moeten beginnen. Er waren allemaal huilende baby's, jengelende kinderen en mopperende mensen. Ik gaf Ridder Horatius een duwtje en zei: 'Ga

maar naar de bak met vissen. Niet vergeten dat u papa heet. Goed?'

Ik geloof dat Ridder Horatius knikte, maar dat was moeilijk te zien. Maar toen hij naar Nora toe zweefde riep ze: 'Hé papa! Waar *zat* je?'

'Kom, Tanja,' zei ik. 'Laat hem dit maar afhandelen. Wij moeten tante Tabbie en Brenda zien te vinden om wat met ze te regelen.' En ik duwde haar weer naar buiten.

Tante Tabbie en Brenda zaten in café De Inktvis met Vera en Mabel te kletsen. Tante Tabbie had onze hoedjes in haar hand en keek erg boos. Vera en Mabel keken ook niet blij.

Brenda kreeg Tanja in de gaten. 'Waar zat je? Je zit onder de modder en de spinnenwebben.' Dit was duidelijk weer zo'n zakdoekmoment. En ja hoor, Brenda haalde een grote roze zakdoek tevoorschijn, spuugde erop en begon Tanja's gezicht te poetsen.

'Ma-am,' zei Tanja half gesmoord, terwijl ze zich los worstelde. '*Laat dat.*'

Tanja liet niets los over waar we geweest waren. Dat was mooi. Ik had het gevoel dat de training van Tanja de goede kant op ging, want toen ze net in Spookie Huis woonde vertelde ze Brenda altijd alles wat wij deden, en dat gaf weer een hoop tante Tabbie-problemen.

Hoe dan ook, het was duidelijk dat we nu recht op tante Tabbie-problemen afstevenden. 'Araminta,' sprak ze streng. 'Ik heb jullie hoedjes teruggekocht. Als je meer zakgeld wilt moet je het gewoon vragen. Ik vind het ongelofelijk wat Vera en Mabel hiervoor hebben moeten betalen.'

'O, maar dat wilden we zelf,' zei Vera – of was het nou Mabel?

'Ja, echt waar hoor,' zei Mabel – of was het nou Vera?

Ik pakte mijn detectiveschrift. 'Ik kan nog bijbestellen,' zei ik.

'*Nee*, Araminta, geen sprake van,' zei tante Tabbie.

'O alstublieft,' zei Mabel – of was het nou Vera – 'we willen er dolgraag nog meer.'

'Hoeveel zou u er nog willen?' vroeg ik snel voordat tante Tabbie iets kon zeggen.

'Twee van ieder,' zei Mabel/Vera.

'Zodat we geen ruzie krijgen,' giechelde Vera/Mabel.

'Ik zal uw order doorgeven aan onze huisbreier,' zei ik. 'Over twee weken zijn ze klaar.'

'Araminta, werkelijk...' zei tante Tabbie zwakjes. Maar verder zei ze niets.

Plotseling klonk Nora's piepstem door de luidspreker. 'Dames en heren, kom nu naar de Water Wonderland Tent alwaar het wereldberoemde Vissenfestival begint!'

Er kwam een afgrijselijk hoge piep uit de luidspreker en iedereen kromp in elkaar. Toen hoorde we Nora zeggen: 'Wat zei je papa? Ik kan je niet verstaan. Wat? Weet je het *zeker*?' Het was even stil, waarna de luidspreker weer aan ging. 'Uh. Kunnen Tanja Tovenaar en Araminta Spookie zo snel mogelijk naar de grote tent komen? Pap – weet je het *zeker*?' Er kwam gekraak door de luidspreker en toen viel hij stil.

'We moeten gaan,' zei ik tegen tante Tabbie. 'Ze kunnen niet zonder ons beginnen. Kom op, Tanja.'

'Jullie gaan nergens naartoe zonder jullie hoedjes,' zei tante Tabbie. 'Zo kan ik jullie tenminste in de gaten houden. Doe ze eens op.'

Er was geen tijd voor een discussie over hoedjes. Ik deed mijn inktvishoedje op en Tanja haar vissenhoedje; daarna sprintten we door de massa.

Nieuwsgierige Nora was niet blij ons te zien. 'Jullie bezorgen me alsmaar problemen,' zei ze. 'Wisten jullie dat twee oude dametjes exact dezelfde hoedjes dragen? Ik ben helemaal tot aan Café De Inktvis achter ze aan gerend en toen werd ik bijna door die enge tante van jullie gepakt.'

'Echt waar?' zei ik. 'Wat toevallig.'

Nieuwsgierige Nora keek me aan alsof ik één van die verschrikkelijke zuigvissen in de bak was. 'In elk geval,' mopperde ze, 'snap ik niet waarom papa wil dat jullie helpen. Hij heeft het niet allemaal op een rijtje. Hij lijkt wel verkouden of zoiets.'

'Hij zal wel denken dat jij het niet allemaal alleen aankan,' zei ik.

'Er hoeft helemaal niet zoveel te gebeuren,' pruilde Nora. 'Het draait alleen maar om die stomme kikkers en papa die zijn haaiending doet en iedereen nat spat. Daarna kan iedereen weer naar huis.'

'Ik doe de kikkers wel,' begon Tanja.

'Mij best,' zei Nora. 'Het zijn toch maar stomme, slijmerige dingen.' Ze pakte de rode kikkeremmer op en gaf hem aan Tanja. Tanja greep de emmer vast. 'Ik heb de kik-kers, ik heb de kik-kers!' zong ze en ze deed een raar Tanja-dansje.

Dat was een vergissing. Ze had ons verraden. Wat een detective nooit moet doen is zichzelf verraden. Dat geeft onherroepelijk problemen.

Nieuwsgierige Nora keek argwanend – erg argwanend. 'Wat is hier aan de hand?' vroeg ze.

'HOE MOET IK DAT WETEN,' zei de haai die zijn hoofd tussen het gestreepte gordijn achter de bak door stak.

'*Ssst*,' zei ik tegen Ridder Horatius – maar het was te laat.

Nora staarde me aan. 'Ik geloof er niks

van dat papa hierin zit,' zei ze. 'Ik heb genoeg verhalen over jou gehoord, Araminta Spookie, en ik denk dat jij zit te liegen.'

'Maar…' zei ik. Ik wilde zeggen dat ik nooit beweerd had dat Ouwe Pjotr in het haaienpak zat, maar Nieuwsgierige Nora luisterde niet.

'Volgens mij zit die griezelige tante van je erin. Echt iets voor haar om zoiets idioots te doen. Ik ga kijken!'

'Nee, het is niet tante…'

Maar het was te laat. Nora ritste het pak open en werd lijkbleek. 'Er zit helemaal niemand in! Het spookt hier!'

'Dat klopt,' zei ik, want, wat er ook over mij gezegd wordt, ik lieg niet.

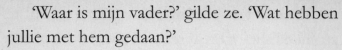

'Waar is mijn vader?' gilde ze. 'Wat hebben jullie met hem gedaan?'

We zwegen.

'Ik zal hem wel vinden! En dan krijgen jullie mooi spijt!' Nieuwsgierige Nora rende naar de uitgang van de tent en gooide de flappen open. Buiten klonk een opgewonden geroezemoes van de wachtende massa. 'Doen *jullie* maar de show, jullie en jullie vreselijke spookhaai – jullie slimmeriken!' schreeuwde Nora en ze verdween tussen de mensen.

Nog voordat Tanja en ik konden nadenken, stroomde iedereen binnen en begon het gevecht om de beste plaatsen. Tante Tabbie en Brenda wonnen, samen met Mabel en Vera. Zij ploften allemaal neer op de eerste rij recht voor de bak. En alsof dat niet al erg genoeg was, zaten daarachter ook nog eens *Zuster Watkins en oom Drac*. Hoe waren die hier gekomen?

Maar er was geen tijd om er lang bij stil te staan. Al snel zat iedereen en ging er een akelig 'ssshhht' door de tent. Een heel woud van ogen staarde ons aan, alsof ze verwachtten dat we iets zouden doen.

'Wat gaan we *doeoen*?' jammerde Tanja zacht-jes.

We konden maar één ding doen – de spik-splinternieuwe Super Spookie Show.

DE SUPER
SPOOKIE SHOW

De Super Spookie Show was te gek. Iedereen zei dat ze nog nooit zoiets hadden gezien.

Tanja bediende de schijnwerper en de kikkers kwamen als eersten op. Nu snapte ik wel waarom Barrie zo overstuur was toen zijn kikkers weg waren. Ze zijn namelijk super getalenteerd, zeker als je het vergelijkt met de gemiddelde kikker. Barrie moet uren

met ze getraind hebben
– bijna net zo lang als
ik met Tanja om haar
een detective te laten
worden.

De kikkers sprongen
rond de vissenbak alsof
ze weken geoefend
hadden. Tanja volgde ze
perfect met de schijnwerper.
Het lukte haar zelfs om de
kleur te veranderen zodat
de kikkers het ene moment
blauw waren en het volgende
moment helderrood, en daarna
weer paars. Ik had eindeloos
vaak naar Barrie en zijn kikkers
gekeken, dus ik wist gelukkig wat
ze allemaal konden. Ze deden:

🕷 De Schuine Kikkertoren
🕷 De Springstok met Drie Kikkers
🕷 De Radslag met Twee Kikkers
🕷 De Katapult met Vier Kikkers

Het ging perfect – totdat ze in de bak met water vielen en Tanja erin moest klimmen om ze eruit te halen. Maar dat was eigenlijk wel prima, want iedereen dacht dat het erbij hoorde. Tanja deed erg moeilijk, maar het lukte haar om alle kikkers te vangen en weer terug te gooien in de emmer. Om het helemaal echt te laten lijken, hield ik daarna de emmer omhoog en boog. Iedereen klapte en dus boog ik nog een keer.

Ondertussen probeerde Tanja uit de bak te klimmen, maar met haar korte armpjes lukte het haar niet zichzelf omhoog te trekken. 'Araminta,' proestte ze, 'help me.' Dat leek me nou zonde; iedereen vermaakte zich immers prima en dit leek me een prachtmoment om de haai op te laten komen. Ik rende naar het gestreepte gordijn waar Ridder Horatius achter stond te wachten.

'Ridder Horatius!' fluisterde ik. 'Het is tijd voor de haaienact. Spring er maar in.'

De haai leek niet veel zin te hebben. **DAN GA IK ROESTEN.'** zei hij.

'Nee hoor. U heeft geen harnas aan – weet u nog? En u heeft toch altijd al willen leren zwemmen.'

'ECHT WAAR?'

'Ja, echt waar. Denkt u zich maar eens in hoe goed dat van pas zou zijn gekomen. Grijp deze kans.' Nog voordat hij tijd had om erover na te denken, duwde ik hem erin. Met een enorme plons belandde de haai in de bak. Het publiek schreeuwde zo hard dat mijn oren tuitten. Tanja schreeuwde ook, en dat was perfect want hierdoor werd de show nog spannender.

Het was fantastisch. Het leek net of Tanja door een haai achterna werd gezeten. Alleen had ik even geen rekening gehouden met Brenda. Zodra Brenda de haai zag, snelde ze toe en viste ze Tanja uit het water met een visnet. Het publiek was door het dolle heen.

Tanja zat op de rand van de bak te proesten en te hoesten. Ze keek chagrijnig, maar Brenda had de smaak helemaal te pakken. Het publiek juichte en Brenda maakte een diepe buiging. En toen nog één. En nog één. Nu Brenda het publiek zo bezighield, zei ik tegen Ridder Horatius: 'U mag er nu wel uit.' Hij zweefde uit de bak omhoog naar de rand. Iedereen joelde! Brenda's ogen rolden bijna uit hun kassen en ze sloeg achterover met een luide *plof*.

Ik had nooit gedacht dat zuster Watkins nog eens van pas zou komen. Ze rende het podium op met haar zwarte verpleegsterstasje (waarmee ze de kikkers had gestolen) en tilde de benen van Brenda boven haar hoofd. Het was allemaal erg dramatisch, en toen Brenda bijkwam juichte iedereen en zuster Watkins maakte een buiging alsof dit een dagelijkse klus voor haar was. Ik denk dat het haar deed denken aan al haar overwinningen bij de worstelwedstrijden.

Ze zeggen wel dat je op het hoogtepunt moet weggaan, dus ik greep de megafoon van Nieuwsgierige Nora om aan te kondigen: 'Hooggeëerd publiek, de Super Spookie Show is afgelopen.'

Een groot teleurgesteld 'Aaaach' ging door het publiek, maar ik ratelde maar door want dat is wat je moet doen als je een super succesvolle vissenshow runt.

'Graag een daverend applaus voor de kikkers van Barrie Tovenaar!' zei ik. Iedereen klapte en floot. 'En ook voor Tanja en Brenda Tovenaar, Ridder Horatius de Haai, en lest best, zuster Watkins!'

Het juichen ging maar door. Ik dacht dat er geen einde aan kwam. Ik wachtte totdat iemand mij zou bedanken, wat zo hoorde het eigenlijk, maar toen niemand iets deed zei ik zelf maar: 'En ik ben Araminta Spookie. Dit was de Super Spookie Show. Dank u!'

De mensen klapten en stampten en floten en ik maakte een buiging. En ik maakte er nog één. En nog één. Het was fantastisch. Ik denk er serieus over om later directeur van vissenshows te worden.

Maar de bewondering van het publiek kan zomaar voorbij zijn. Al snel dromde iedereen naar buiten, en waren de volwassenen over de harde stoelen aan het klagen en de kinderen om een ijsje aan het zeuren.

Plotseling doemden tante Tabbie en oom Drac op.

Oom Drac glimlachte, maar tante Tabbie niet. Ze had een grote frons en haar wenkbrauwen kwamen in het midden bij elkaar als twee boze rupsjes. Omdat ik een ernstig tante Tabbie-moment aan voelde komen, zei ik snel: 'Tante Tabbie, u moet Tanja en mij over tien minuten bij het kaartjesloket ontmoeten – het is *uitermate* belangrijk. En vergeet oom Barries busje niet mee te nemen.'

'Araminta, jij gaat *nergens* naartoe...' begon tante Tabbie, maar de rest konden we niet meer verstaan. Met in mijn ene hand de kikkeremmer en in de andere een natte hand van Tanja renden we weg, op weg naar het kaartjesloket.

DE SCHAT

Nieuwsgierige Nora was ons voor geweest. Ze was druk bezig om te proberen de kluis van het luik af te schuiven. Bij onze binnenkomst keek ze op en zei: 'O, daar ben je, Tanja Tovenaar, met die rare vriendin van je. Ik zag je er wel in vallen, ha-ha. Wat hebben jullie met mijn vader gedaan?'

'We hebben niets met hem gedaan,' zei Tanja.

Nieuwsgierige Nora snoof. 'Nou, hij is toch niet zonder hulp daar beneden terechtgekomen?'

'Jawel,' zei ik tegen haar. 'En toen hebben we de kluis daar neergezet. Voor zijn eigen bestwil. Het is eigenlijk het beste als hij daar voor altijd blijft zitten.'

'Waarom?' vroeg Nora achterdochtig.

'Hij wordt achternagezeten door een boos spook. Jouw vader heeft zijn schat gestolen en hij wil hem terug.'

'O, *ha-ha.*' Nora snoof weer. Het was geen leuke snuif. Tanja's gesnuif klinkt als dat van een lief klein biggetje, maar Nora's gesnuif klinkt meer als dat van een woeste kameel.

'Ja, een *spook.* Die ook in het pak van de spookhaai zat. Weet je nog?'

Nora antwoordde niet.

'Hij is heel, *heel* erg boos,' zei Tanja. 'En als je het precies wilt weten, over een paar minuten staat hij hier en als je vader de kist niet teruggeeft wordt hij *nog* bozer. Wist je al dat zijn zwaard heel erg scherp is?'

Nora zag wit. 'O ja?' zei ze.

'Ja. En hij kan er goed mee vechten,' zei ik.

Ik zag wel dat Nora het niet prettig vond om te horen. 'En als papa hem zijn schat teruggeeft, gaat hij dan weg?' vroeg ze.

'Misschien. Met spoken weet je het maar nooit, maar ik denk het wel. Ik bedoel maar, wat heeft hij hier verder in deze puinhoop te zoeken?'

Nora knikte. Je kon zien dat zij Water Wonderland eigenlijk ook wel een puinhoop vond. 'Oké,' zei ze. 'Als jij me helpt om papa te bevrijden, geven wij de schat terug.'

'Dat is een deal,' zei ik.

'Hand erop,' zei Nora. En dat deden we.

Met zijn drieën duwden we de kluis van het

valluik en Ouwe Pjotr stond in een seconde boven aan de ladder. Hij had bepaald geen goed humeur.

'Goed, rotkinderen die jullie zijn,' snauwde hij. 'Jullie kunnen je nuttig maken door me even te helpen met deze kist. En dan oprotten... gesnopen?' Tanja en ik knikten. We probeerden hem te paaien. Soms kan een detective nu eenmaal niet anders. Bovendien hadden wij zijn hulp nodig om de kist boven te krijgen.

Ouwe Pjotr schoof de kist door het gat van het luik en ging er toen puffend op zitten. 'Goed,' zei hij. 'Jullie met je idiote hoedjes, opgehoepeld. En laat ik jullie hier niet meer zien.' Toen stond hij op en zei kreunend, terwijl hij zijn handen tegen zijn rug duwde, tegen Nieuwsgierige Nora: 'Jij blijft hier. Ik ga een breekijzer halen. Daarmee hebben we dit ding zo open. Wie weet hebben we een fortuin.' Hij

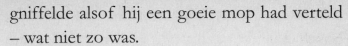

gniffelde alsof hij een goeie mop had verteld
– wat niet zo was.

'Maar het is niet van jou, papa,' zei Nora.
'Het is van een woest spook.'

'Een vreselijk *afgrijselijk* spook,' voegde
Tanja eraan toe, wat ik niet echt aardig vond
tegenover Ridder Horatius.

Ouwe Pjotr snoof als een hele kudde
woeste kamelen en zei: 'Jullie hebben me
gehoord – ophoepelen,' en toen stampte hij
weg om het breekijzer te gaan halen.

'Snel,' zei Nora. 'Pak de kist voordat hij
terugkomt. En ook die slijmerige kikkers,
dan hoeven we niet langer die suffe shows te
doen.'

Met zijn drieën sjouwden we de kist naar
buiten, en net toen we de deur uitkwamen
arriveerden tante Tabbie, Brenda en oom Drac
in Barries busje. We sjorden de kist achterin.
Tante Tabbie stak haar hoofd uit het raampje

en vroeg: 'Waar hebben jullie die vandaan, Araminta?'

'Die is van Ridder Horatius,' zei ik. 'We brengen hem in veiligheid. En we hebben Barries kikkers.'

Tante Tabbie keek minder blij dan ik had verwacht. 'Hmm,' zei ze. 'Bertha zegt dat ze hier nog even moeten blijven.'

'Bertha? Wie is Bertha nou weer?' vroeg ik.

'Bertha Watkins, schatje. Zij zat naast ons tijdens de voorstelling.'

'*Zuster* Watkins? Maar die heeft ze juist gestolen. *Natuurlijk* wil zij dat ze hier blijven.'

Tante Tabbie zei sussend: 'Werkelijk, Araminta, wat verkoop jij voor onzinpraatjes. Bertha heeft helemaal geen kikkers gestolen. Zij zijn in haar tas gesprongen toen ze even niet keek. Ze schrok zich een hoedje toen ze na het spoedtelefoontje bij Ouwe Pjotr arriveerde om zijn schildpaddenbeet te behandelen en haar tas opende. Bertha houdt niet van kikkers. Enfin, ze sprongen er allemaal uit en gingen rechtstreeks naar de vijver. Ze denkt dat ze als kikkervisjes in die vijver hebben geleefd en dat ze ernaar toe terug willen om te paren.'

Ik had het graag even aan zuster Watkins zelf gevraagd, omdat ik niet zeker wist of tante Tabbie een betrouwbare bron was. Maar daar was geen tijd voor – ik zag Ouwe Pjotr al uit een van zijn schuren komen met een enorm breekijzer in zijn hand. Het was tijd om op te stappen.

Ik duwde Tanja en de kikkeremmer achter in het busje en sloeg de deur dicht, maar toen we Water Wonderland uit reden zei Tanja: 'Wat doen we met Ridder Horatius?'

Tanja heeft de gave om je altijd net te laat aan iets te herinneren. Ik wilde al op het raampje bonzen dat tussen de bestuurdersstoel en de achterbak zit om tante Tabbie te waarschuwen, toen ik iets heel vreemds zag.

Ridder Horatius – het harnas van Ridder Horatius – stond te liften met zijn voet! Naast de sloot lag een leeg haaienpak.

Het busje stopte met piepende remmen en tante Tabbie klom eruit. Even later hielp tante Tabbie Ridder Horatius achter in het busje te klimmen. Hij zag er erg chagrijnig uit – dat kon je merken aan hoe hij met een plof boven op zijn kist ging zitten en helemaal niets zei.

Tante Tabbie gooide de armen van Ridder Horatius met veel gerinkel het busje in en zei: 'Araminta, ik heb geen idee hoe Ridder Horatius in de sloot terecht is gekomen en hoe zijn armen zijn losgeraakt, en ik geloof dat ik het ook niet wil weten. Maar waarom heb ik toch het gevoel dat jij hier meer van weet? En wat betreft dat haaienpak, hoe dat nou...' Tante Tabbie schudde haar hoofd en sloeg de deur dicht.

Ik wilde zeggen dat ik ook niet begreep waarom zij het gevoel had dat ik er iets mee te maken zou hebben. Maar ik liet het maar zitten. Soms kan je over dat soort zaken maar beter niet met tante Tabbie in discussie gaan. Zeker als ze eigenlijk gelijk heeft.

Ridder Horatius bleef de hele weg chagrijnig. Hij zat op de schatkist zonder ook maar *iets* in de gaten te hebben en mopperde aan één stuk door. Over zijn armen die verkeerd zaten, ook al hadden we ze heel voorzichtig weer vastgemaakt; over de modder en de blaadjes die binnen in hem zaten; en eindeloos over roest. Maar uiteindelijk zag ik mijn kans schoon.

'Ridder Horatius, weet u waar u op zit?' vroeg ik.

'VAST OP IETS ROESTIGS.' zei hij somber.

'DAT OVERKOMT MIJ WEER. WEET JE WEL DAT ROEST BESMETTELIJK IS?'

'Dat weten we,' zei Tanja knorrig.

Toen rolde het hoofd van Ridder Horatius naar voren en begon hij te snurken. En als Ridder Horatius eenmaal snurkt, kan je hem met geen mogelijkheid wakker krijgen. Het beste is met je vingers in je oren heel hard zingen om het geluid te overstemmen. Dat deden Tanja en ik dus. De hele weg lang.

'Wat heb je mooi gezongen, schatje,' zei Brenda terwijl ze ons uit het busje liet. Brenda vindt alles wat Tanja doet leuk, in tegenstelling tot tante Tabbie, die niets leuk vindt van wat ik doe.

Tante Tabbie was niet blij dat ze Ridder Horatius en zijn schatkist uit het busje moest tillen, ook al had ik haar uitgelegd hoe belangrijk het was. We installeerden Ridder

Horatius bij de grote klok in de hal, en opeens werd hij wakker. De kist was het eerste ding dat hij zag.

'MIJN SCHAT!' riep hij, en zijn stem klonk heel erg blij. 'MEJUFFROUW SPOOKIE. MEJUFFROUW TOVENAAR. U HEEFT UW WOORD GEHOUDEN. HOE HEB IK DAAR OOIT AAN KUNNEN TWIJFELEN?'

'Detectivebureau Spookie houdt altijd zijn woord, Ridder Horatius,' zei ik.

'Detectivebureau Tovenaar zal je bedoelen,' onderbrak Tanja.

'Helemaal niet,' zei ik haar.

'Helemaal wel,' zei Tanja. 'Wie heeft de kikkers gevonden? Wie heeft het raadsel van de haai opgelost? Wie heeft Nieuwsgierige Nora overgehaald om de schatkist aan ons te geven?'

'Ikke,' zei ik.

'Nietes – *ikke*.'

'**MAG IK.**' bulderde Ridder Horatius, die veel beter klonk nu hij weer in zijn harnas zat, '**MAG IK IETS VOORSTELLEN? DETECTIVEBUREAU SPOOKIE-TOVENAAR KLINKT HEEL GOED.**'

'Oké.' Ik zuchtte een tante Tabbie-zucht. 'Dan wordt het Detectivebureau Spookie-Tovenaar.'

'Detectivebureau Tovenaar-Spookie klinkt beter,' zei Tanja.

'SOMS,' zei Ridder Horatius, 'KAN JE BETER TOEGEVEN ALS JE EEN VOORSPRONG HEBT. DAT ZOU IK NU MAAR DOEN. MEJUFFROUW TOVENAAR.'

'Goed, Ridder Horatius.' Tanja lachte. 'Gaat u nu uw schatkist openmaken?'

Ridder Horatius boog met een vreselijk knarsend geluid voorover, schroefde zijn rechtervoet los, en pakte er een grote koperen sleutel uit. Ridder Horatius bewaart al zijn sleutels in zijn voeten. Het is een rare plek om sleutels te bewaren, maar hij weet zo wel altijd waar ze liggen.

De sleutel draaide gemakkelijk om en Ridder Horatius tilde de deksel op. Tanja en ik gluurden naar binnen; we waren allebei superopgewonden dat we nu een echte schat zouden zien.

Het was een grote teleurstelling. Alles wat erin zat was een stapel oude muffe papieren, een gedeukt fluitje, en een paar rare leren tasjes. Heel erg suf allemaal.

'Getver,' zei Tanja, terwijl ze haar neus dichtkneep. 'Wat stinkt dat verschrikkelijk.'

Ze had gelijk. Het rook naar een mengelmoes van Brenda's augurkensoep en de kattenbak. Niet lekker.

'Waar is de schat?' vroeg Tanja, die er niet mee zit om opdringerige vragen te stellen, wat wel goed van pas zal komen bij Detectivebureau Spookie-Tovenaar.

'DIT IS MIJN SCHAT.' bulderde Ridder Horatius. 'AL MIJN DIERBARE BRIEVEN EN

SOUVENIRS. ZELFS MIJN GELUKSKONIJNEN-POOTJE.' Hij boog voorover en raapte een smerig hompje bont op.

'Jakkes,' zei Tanja. 'Dat is wat zo stinkt.'

'En hoe zit het met de munten?' vroeg ik.

'En de kostbare juwelen?' zei Tanja.

'En de zilveren schalen?'

'En de dubloenen?'

'De watte, Tanja?'

'Dubloenen. Oude gouden munten.'

Ridder Horatius schudde zijn hoofd. 'IK HEB NOOIT VEEL VAN DAT SOORT ZAKEN GEHAD.' zei hij, terwijl hij in de kist rommelde. 'O KIJK. HIER IS MIJN OUDE RIDDERRAPPORT VAN SCHOOL...'

We lieten hem maar met rust en gingen op zoek naar Barrie. We moesten nog een emmer met kikkers afleveren.

Onderweg kwamen we oom Drac tegen. Hij zat in de bezemkast in zijn favoriete leunstoel met zijn voeten omhoog. Hij was al begonnen met een hoedje voor Mabel – of was het voor Vera? 'Dag Minty, dag Tanja,' zei hij. 'Goed om jullie weer hier te zien. O, mijn voeten doen zo'n pijn, maar het was de moeite waard. Hi-hi.'

'Wat was de moeite waard, oom Drac?' vroeg ik hem.

Oom Drac gniffelde. 'Ik had met zuster Watkins gewed dat ik het lopend naar de paddenstoelenboerderij van Ouwe Pjotr zou halen. Ze zei dat zij haar hoed op zou eten als ik dat haalde. Maar het is me gelukt. Hi-hi.'

'Wauw. Hoe lang heeft ze erover gedaan, oom Drac?'

'Waarover, Minty?'

'Haar hoed opeten.'

Oom Drac moest lachen. 'Ik heb haar gezegd dat ik haar zou matsen als zij tante Tabbie zou vertellen dat ik haar hulp niet langer nodig had. Dat heeft ze gedaan. Nu is Spookie Huis een zuster Watkins-vrije zone.'

Oom Drac ging vrolijk verder met breien en wij liepen door op zoek naar Barrie.

Barrie liep in de tuin rond. Hij porde een beetje mistroostig met een stokje onder wat stenen.

Hij keek op en raad eens wat hij zei toen hij ons zag? Hij zei: 'Araminta, *waar* heb je mijn kikkers gelaten?'

Op dit moment had ik gewacht. 'In de emmer,' zei ik, en ik overhandigde hem de rode kikkeremmer.

Barrie tilde argwanend de deksel op. Ik weet niet wat hij verwacht had, maar toen hij zijn kikkers zag verscheen er een enorme lach. En weet je wat hij toen zei? Hij zei: 'Ik *wist* dat je ze had.'

Nou, nou. Een bedankje kon er niet af.

Tanja knipoogde naar me. 'Kom op, Araminta,' zei ze, 'het zijn maar een stel saaie oude kikkers. Laten we wat leuks gaan doen.'

Soms kan Tanja echt aardig doen, alsof ze je beste vriendin is.

Die avond zaten we, nadat we Tanja's fietsenolie helemaal hadden opgebruikt om Ridder Horatius weer te smeren, zijn armen goed hadden vastgemaakt, en alle blaadjes en modder van de sloot hadden verwijderd, samen in ons bed op onze Dinsdagslaapkamer te kletsen.

We hadden het erover wat de volgende klus voor Detectivebureau Spookie-Tovenaar zou moeten zijn, hoewel ik eerlijk gezegd niet zo heel veel meer voor het detectivewerk voel nu ik vissenshows ga doen. Ik was moe en leunde

tegen mijn kussen. Er lag iets hards onder. Ik voelde met mijn hand onder het kussen en trok een klein leren buideltje tevoorschijn. Het rook naar Brenda's augurkensoep en de kattenbak.

'Moet je zien wat ik heb gevonden!' Ik liet het aan Tanja zien.

Tanja tilde haar kussen ook op. Ik hoopte dat er bij haar ook iets zou liggen. En dat was zo – exact zo'n zelfde leren buideltje. 'Wat denk je dat het is?' fluisterde ze.

'Geen idee – maak maar open,' zei ik.

'Nee, maak jij die van jou maar open.'

'Laten we hem allebei tegelijk openmaken, oké? Een... twee... drie!' We keerden de buideltjes om boven ons kussen.

'Wauw,' zei Tanja. '*Kijk.*' Ze hield een dikke gouden munt aan een leren veter omhoog. Ik had er precies zo één.

'Er staat iets op geschreven,' zei ik.

'O ja.' Tanja kneep haar ogen tot spleetjes en tuurde naar de woorden.

'Het is weer die vreemde spelling van Ridder Horatius,' zei ik. '*Hij* is dus helemaal naar de zolder geklommen om dit aan ons te geven. Jouw fietsenolie heeft goed werk gedaan, Tanja.'

'Voor een... Ware en... Ghetrouwe... Vriend...' las Tanja langzaam voor. 'Dat staat er.'

Dat klopte. Het stond ook op mijn munt. En, als je er goed over nadacht, was het best een goede omschrijving van Tanja Tovenaar. En van Ridder Horatius. En van mij, denk ik.